A WORKING BIBLIOGRAPHY

OF

BRAZILIAN LITERATURE

A WORKING BIBLIOGRAPHY

OF

BRAZILIAN LITERATURE

by

José Manuel Topete

AIR UNIVERSITY

USAF

UNIVERSITY OF FLORIDA PRESS

Gainesville

1957

to the revered memory

of a great hispanist,

Rudolph Schevill

Preface

T HE PRIMARY PURPOSE of this working bibliography of Brazilian literature is to present a complete picture of its major writers both bibliographically and critically, to bring together all known critical works on the subject, and to include as many of the contemporary writers as space and economy permit. Because of the way it is put together, students and reference librarians may find it useful as a reference handbook.

Circumstances beyond our control necessitated the omission of the chapter on Brazil from our *A Working Bibliography of Latin American Literature* in 1952. As the years went by material accumulated, more works came out, and the small chapter on the main writers of Brazilian literature grew in size and scope until we now present what we hope is the most complete bibliography on the subject. The bibliographical material covers the period up to and including 1952 as well as the critical material which in some cases comes up to 1954.

The main writers taught in Brazilian universities and in the United States are given a complete bibliographical and critical statement; the more important the writer, the more detailed the treatment. Thus Machado de Assis has twenty-six bibliographical entries and over thirty-six critical ones. Where possible the following editions were listed: the first edition or its date, the most critical and definitive editions, and the latest and most available edition that can be obtained by libraries or students.

A special effort was made to include all the known works of reference. Inclusiveness in this respect, though not approved by some, broadens the researcher's resources, and the annotations will help him in his selection.

Secondary and tertiary writers of the nineteenth century cited by Jeremiah D. M. Ford were not included in this work. The judgment of modern criticism has guided selections and omissions. Yet, in some cases, the student may find the Ford bibliography useful for obscure writers of the nineteenth century.

All known bibliographies were consulted. All materials in the Library of Congress, and especially the *Handbook of Latin American Studies* (years 1935-1952) were investigated and made use of. With respect to the gathering of material we call research, we might state that the bibliographer in his obsessive quest has no conscience. Being fully aware that his product is for general use, he seeks in all sources and fountains. Under this assumption of service he excuses his actions and rationalizes that, after all, bibliography is the chronology and geography of knowledge.

In its final form this bibliography will be used as a model for our other works being prepared on individual countries of Ibero-America. The first one will be Mexico, to be followed, time permitting, by bibliographies on Argentina, Chile, and other countries.

This bibliography is humbly dedicated to all pioneers of Brazilian belles-lettres whose work precedes it. Special mention must be made of the late Samuel Putnam for his tireless work in translations, books, and articles that brought Brazilian belles-lettres to the attention of the American public, and for his bibliographical research for the *Handbook of Latin American Studies;* of his successor Dr. Ralph E. Dimmick; and of the brilliant critic, bibliographer, and artist Otto Maria Karpfeu. We hope that some of their work here reflected, and that of many others not mentioned, will be brought to a still more practical use.

Grateful acknowledgments are due to Dr. A. Curtis Wilgus, of the University of Florida, for suggesting the work and for encouragement. To Dr. Howard F. Cline, head of the Hispanic Foundation of the Library of Congress, many thanks are due also for encouragement and help in publishing the work. Without his timely assistance and that of Dr. Dimmick, this bibliography could not have been finished.

To the editor of the *Handbook of Latin American Studies,* Francisco Aguilera, gratitude is expressed for many very valuable suggestions for streamlining the work. A special vote of thanks is here given to the staff of the Columbus Memorial Library of the Pan American Union and especially to *señoritas* Marion Forero and Rosa Salomão.

Sincere gratitude is expressed to Lewis and Helen Haines, and their Press colleagues, for their untiring efforts towards publication and for professional and technical assistance.

For the final inclusion of material, organization and scope, and for any errors within the work, the compiler alone is responsible, and he will welcome any constructive criticism and suggestions.

JOSÉ MANUEL TOPETE

How to Use the Bibliography

A S WITH OUR *Working Bibliography of Latin American Literature,* an effort has been made to group subject matter first by genres, for the sake of logical grouping and in order to simplify the explanation of individual items. Since courses are taught by genres, teachers may find this division useful. Cross-indexing facilitates assembly of material.

The Name Index gives all references to each individual writer or critic mentioned in the bibliography. The system of name indexing used is the one adopted by the Brazilian libraries and now in wide use. (See: Monteiro Maria Luisa, Nomes Brasileiros. *Um problema na Catalogação.* São Paulo, Escola de Biblioteconomia, 1948.)

The list of contents describes the scope of the work. The first division lists all the major criticism divided by subjects: histories of literature, special studies, bibliographies, and so on. The second section attempts to present a full bibliographical statement on the essay, as well as some material on philosophy, to which the essay is so closely related in modern times. We might say that this section completes the cultural picture as presented by literature. We feel that this material is worth presenting since it is nowhere else to be found. Future bibliographers may round out and complete these efforts at collecting essay, criticism, biography, and journalism.

An introductory critical section is placed before each major section for ready reference. Only major reference works are cited. Thus the third section begins with general works on the novel and prose fiction. The fourth section presents poetry, and the fifth presents the theater. The sixth offers a list of selected English and Spanish translations that reference librarians will find useful. These translations include all genres.

The user may either start with the Name Index and follow all the clues given there, or he may turn to the pertinent section of his interest. In cases where a writer is found in more than one section, the cross references will guide him. For example, Manuel Bandeira, who is considered first of all as a poet, will be found in the poetry section (IV), listed alphabetically. At the end of Bandeira's bibliographical statement are found at least ten critical references, the most important studies on him, and a cross reference to other parts of the bibliography where major entries are found on him. For further reference the researcher may turn to any of the histories of literature cited in section I. Furthermore, in Bandeira's case, the Name Index will give reference to all the anthologies that he has edited. In most cases, however, since most writers are found only in one section, the genre division simplifies the search. For example, if a writer is listed both as a poet and a novelist, the critical references have been placed under the genre for which he is best known, that is, Bandeira under his entries for poetry. In all cases cross references will guide the user.

Contents

VI. SELECTED ENGLISH AND SPANISH TRANSLATIONS — 100

NAME INDEX — 105

I. Works of General Reference

A. HISTORIES OF LITERATURE AND GENERAL STUDIES

ADERALDO, Mozart Soriano. Esboço de história de literatura brasileira. (*In* Clã, ano 1, no. 5, out., 1949; p. 13-43.)

ALPI, Giuseppe. Sommario Storico della Letteratura Braziliana. Milano, Archetip. di Milano, 1937. 42 p.
A good summary with section on modern period.

AZEVEDO, Cyro de. Conferencias sobre literatura brasileña dadas . . . en . . . la Universidad de Montevideo. Montevideo, A. Barreiro y Ramos, 1918. 192 p. (Anales de la Universidad, año 28, no. 98.)

BANDEIRA, Manuel Carneiro de Sousa. Noções de história das literaturas. São Paulo, Editôra Nacional, 1942. 385 p.
An excellent panorama of Brazilian literary history.

BESOUCHET, Lydia, and FREITAS, Newton. Literatura del Brasil. Buenos Aires, Ed. Sudamericana, 1946. 141 p.

BITTENCOURT, Liberato. Nova história da literatura brasileira sob modos rigorosamente filosóficos e científicos cm três partes distintas. Rio de Janeiro, Oficinas Gráficas do Colégio, 28 de Setembro, 1947. 1 v.

BUENO, Francisco da Silveira. Literatura luso-brasileira. São Paulo, Ed. Saraiva, 1944. 538 p.
A school text with numerous excerpts from literary works, Portuguese and Brazilian.

CALMON, Pedro. Literatura del Brasil. (*In* Giacomo Prampolini, Historia universal de la literatura, XII. Duenos Aires, Uteha, 1941.)

CARVALHO, Ronald de. Pequena história da literatura brasileira. 2a ed. Rio de Janeiro, F. Briguiet, 1922. 401 p. (1st ed., 1919; 3rd ed., 1925, 445 p.; 4th ed., 1949, 439 p.)
A standard work, though limited by date of publication and its somewhat naive ideas on ethnology and sociology in introduction

————. Pequeña historia de la literatura brasileña. Trans. by Julio E. Payró. Buenos Aires, Biblioteca de autores brasileños, 1943. 441 p.

CASCUDO, Luís da Câmara. História da literatura brasileira. V. VI. Literatura oral. Sob a direçao de Alvaro Lins. Rio de Janeiro, Olympio, 1952. 465 p.
Devoted to popular narrative, poetic, and dramatic forms.

COELHO NETO, Henrique Maximiano. Compêndio de literatura brasileira. Rio de Janeiro, F. Alves, 1913. 177 p.

COSCOLI, José Ventura. Lições de literatura brasileira. Niterói, J. Silva, 1912. 469 p.

DENIS, Jean Ferdinand. Résumé de l'histoire littéraire du Portugal, suivi du Résumé de l'histoire littéraire du Brésil. Paris, Lecomte et Durey, 1826. 625 p. Brazil: p. 513-601.

FIGUEIREDO, Fidelino de. História da literatura romântica, 1825-1890. 3rd ed. São Paulo, Ed. Anchieta, 1946. 348 p.

FRANCO, Alfonso Arinos de Melo. Algunos aspectos de la literatura brasileña. Trad. de Raúl Navarro. Buenos Aires, Imp. de la Universidad, 1945. 98 p.

FREITAS, José Bezerra de. História da literatura brasileira para o curso complementar. Pôrto Alegre, Livr. do Globo, 1939. 329 p.
Textbook.

GENTIL, Georges le. La littérature portugaise. Paris, Armand Colin, 1935. 208 p.
The final chapter is on Brazilian literature.

GOLDBERG, Isaac. Brazilian Literature. New York, Alfred A. Knopf, 1922. 303 p. Selective bibliography: p. 293-327.
An understanding work with representative studies, though limited by date and range.

LACERDA, Virgínia Côrtes de. Unidades literárias. São Paulo, Editôra Nacional, 1944. 376 p.
Textbook.

LIMA, Manuel de Oliveira. Aspectos da literatura colonial brasileira. Leipzig, Brockhaus, 1896. 301 p. Brief bibliography: p. 298-301.
Through the Mineira School.

LINCOLN, Joseph Newhall. Charts of Brazilian Literature. Ann Arbor, Mich., Edwards Brothers Inc., 1947. 86 p.
A very useful outline and chronological compendium, with short introductions giving historical and literary data before each period.

LINS, Álvaro (ed.). História da literatura brasileira. Rio de Janeiro, 1947- . 15 v. (In preparation.)
The following have contributed to this work: Gilberto Freyre, Barreto Filho, Argar Renault, Otto Maria Carpeaux, Fidelino de Figueiredo, Luís da Câmara Cascudo, Sérgio Buarque de Hollanda, Roberto Alvim Correia, Astrojildo Pereira, Octavio Tarquinio de Sousa, Aurélio Buarque de Hollanda, Lúcia Miguel Pereira, Tristão de Athayde, and Alvaro Lins.

MARQUES, Xavier. Evolução da crítica brasileira no Brasil e outros estudos. Rio de Janeiro, Imprensa Nacional, 1944. 159 p.

MATTOS, José Veríssimo de. Estudos de literatura brasileira. Rio de Janeiro, Garnier, 1901-1907. 6 v.
An indispensable work.

―――. História da literatura brasileira. De Bento Teixeira (1601) a Machado de Assis (1908). Rio de Janeiro, Alves; Paris, Aillaud et Bertrand, 1929. 431 p. (1st ed., 1916.)
An indispensable work.

MEIRA, Cecil. Introdução ao estudo da literatura. 2a ed. Rio de Janeiro, Z. Valverde, 1945. 310 p.
Text for beginners.

MENEZES, Raimundo de. Escritores na intimidade. São Paulo, Martins, 1949. 326 p.
Biographical sketches of 47 defunct Brazilian authors, from Gonçalves Dias to Afrânio Peixoto.

MONTELLO, Josué. Histórias da vida literária. Rio de Janeiro, Ed. Nosso livro, 1944. 339 p.
Documentation for the literary historian.

MOOG, Clodomir Viana. Uma interpretação da literatura brasileira. Rio de Janeiro, Casa do estudante do Brasil, 1943. 80 p.
A brief interpretative essay following regional groupings.

―――. An Interpretation of Brazilian Literature. Trans. by John Knox. Rio de Janeiro, Ministry of Foreign Relations, Cultural Division, Departamento de Imprensa Nacional, 1951. 101 p.
Not a perfect translation.

MOTTA, Arthur. História da literatura brasileira. V. I. Epoca da formação (Séculos XVI e XVII); v. II. Epoca da transformação (Século XVIII). São Paulo, Editôra Nacional, 1930. 469 and 492 p.
Many bibliographies, especially vol. I, p. 267-284.

MURICY, José Cândido de Andrade. A nova literatura brasileira, crítica e

antologia. Pôrto Alegre, Globo, 1936. 425 p. Biobibliographical index; p. 403-413.
Valuable for Modernism, 1922- .

OLIVEIRA, José Osório de. Literatura brasileira. Lisboa, Lumen, 1936. 73 p.

————. História breve da literatura brasileira. Lisboa, Ed. Inquérito, 1939. 120 p. Ed., São Paulo, Martins, 1947.
A good short exposition.

ORBAN, Victor. Littérature brésilienne. Pref. by M. de Oliveira Lima. Paris, Garnier Frères, 1913. 370 p.
Biobibliographic notes and anthology of more than a hundred Brazilian writers from colonial days to the end of the 19th century.

ORICO, Osvaldo. Expresión de la literatura brasileña. Madrid, 1946.

PEIXOTO, Julio Afrânio. Literatura del Brasil. (*In* Giacomo Prampolini, História universal de la literatura, XII. Buenos Aires, Uteha, 1941.)

————. Panorama da literatura brasileira. São Paulo, Editôra Nacional, 1940. 565 p.

————. Noções da literatura brasileira. Rio de Janeiro, F. Alves, 1931. 349 p.
Largely incorporated in Panorama de literatura brasileira.

PEREIRA, Lúcia Miguel. Cinqüenta anos de literatura. (*In* Panorama [OEA], Washington, D. C., I, 1, 1952; p. 28-48.)

————. História da literatura brasileira. V. XII. Prosa de ficção de 1870 a 1920. Sob a direção de Alvaro Lins. Rio de Janeiro, J. Olympio, 1950. 388 p.

PINHEIRO, Joaquim Caetano Fernandes. Curso elementar de literatura nacional. Rio de Janeiro, Garnier, 1862. 568 p. (2nd ed., 1883.)
Textbook.

————. Resumo da história literária. Rio de Janeiro, 1873. 2 v.

PUTNAM, Samuel. Marvelous Journey. A Survey of Four Centuries of Brazilian Writing. New York, Knopf, 1948. xvi, 270, xii p.
An excellent introduction for the English-speaking world.

REIS, Francisco Sotero dos. Curso de literatura brasileira e portuguêsa. Maranhão, 1866-1873. 5 v.

ROMERO, Sílvio Vasconcelos da Silveira Ramos. História da literatura brasileira. 3a ed., dirigida por Nelson Romero. Rio de Janeiro, J. Olympio, 1943. 5 v.
An indispensable work.

ROMERO, Sílvio, and RIBEIRO, João. Compêndio de história da literatura brasileira. 2a ed. Rio de Janeiro, F. Alves, 1909. 550 p.
An indispensable work.

SÁNCHEZ-SÁEZ, Braulio. Vieja y nueva literatura del Brasil. Santiago de Chile, Ercilla, 1935. 242 p. Bibliography listed by publishers: p. 226-242.
In general, a sketchy survey.

SILVA, João Manoel Pereira da. Nacionalidade, lingua e literatura de Portugal e Brasil. Paris, Guilliard, Aillaud, 1884. 410 p.

SODRÉ, Nelson Werneck. História da literatura brasileira. Seus fundamentos econômicos. Rio de Janeiro, J. Olympio, 1940. xi, 258 p. (1st ed., 1938.)
An interesting and thoughtful attempt to write a history of literature from an economic point of view.

————. Síntese do desenvolvimento literário no Brasil. São Paulo, Martins, 1943. 118 p.
A brief but important work.

THOMAS, Earl W. Brazilian Literature. (*In* Brazil: Portrait of Half a Continent. Ed. by T. Lynn Smith and Alexander Marchant. New York, The Dryden Press, 1951; p. 401-422.)
An excellent survey.

TORRES-RÍOSECO, Arturo. The Epic of Latin American Literature. New York, Oxford Univ. Press, 1942. 279 p. Brazilian Literature: p. 209-225.
Has a good analysis of the Modern period.

―――――. Expressão literária do novo mundo. Tradução e notas de Valdemar Cavalcanti, ilustrações de Luís Jardim. Rio de Janeiro, Casa do estudante do Brasil, 1945. 360 p.
Lectures given during the author's stay in Brazil some years ago.

VERÍSSIMO, Érico. Brazilian Literature: An Outline. New York, Macmillan, 1945. 184 p. Lectures delivered at the University of California in January and February, 1944.
A most readable introduction to Brazilian literature in spite of the absence of dates and titles.

WOLF, Ferdinand Joseph. Le Brésil littéraire―histoire de la littérature brésilienne. Berlin, A. Asher, 1863. 2 parts. 242 and 334 p. The second part consists of an anthology.
SEE ALSO: SPECIAL STUDIES SECTION

B. SPECIAL STUDIES: ON WRITERS, REGIONS, MOVEMENTS, SUBJECTS, ETC.

ALVES, Joaquim. Autores cearenses. Fortaleza, Clã, 1949. 146 p.
Collection of reviews on writers from the province of Ceará during the past decade.

ANDRADE, Mário de. Aspectos de literatura brasileira. Rio de Janeiro, Americ-Ed., 1943. 256 p.
Essays on Tristão de Atayde, L. Aranha, Machado de Assis, Castro Alves, and others.

ARARIPE, Tristão de Alencar (júnior). Carta sôbre a literatura brasílica. Rio de Janeiro, Tip. de J. A. dos Santos Cardoso, 1869. 6, 24 p.

―――――. Movimento de 1893. O crepúsculo dos povos. Rio de Janeiro, Empr. Democrática, 1896. 254 p.
On Brazilian literature.

AYALA DUARTE, Crispín. Sobre la literatura del Brasil. (*In* Boletín de la Academia Venezolana, enero-junio de 1947; p. 81-119.)

BARREIRA, Dolor Uchoa. História da literatura cearense. Tomo 1. Fortaleza, Instituto do Ceará, 1948. 332 p.
Evolution of belles-lettres in Ceará from 1813 to 1899.

―――――. ―――――. Tomo 2. 1a parte. Fortaleza, Instituto do Ceará, 1951. lxvi, 474 p.
Covers the years 1900-1910.

BELLO, José Maria. Inteligência do Brasil; ensaios sôbre Machado de Assis, Joaquim Nabuco, Euclides da Cunha e Rui Barbosa. Síntese da evolução literária do Brasil. 3a ed. São Paulo, Editôra Nacional, 1938. 270 p.

BESOUCHET, Lydia, and FREITAS, Newton. Diez escritores de Brasil. Buenos Aires, M. Gleizer, 1939. 123 p.
A good brief survey of the history of Brazilian literature followed by articles on: Thomaz Gonzaga, Gonçalves Dias, Machado de Assis, R. Pompeia, Aluízio de Azevedo, Euclydes da Cunha, G. Ramos, Mario de Andrade, Lins do Rêgo, and L. Cardoso.

BRITO, José Geraldo de Lemos. O crime e os criminosos na literatura brasileira. Rio de Janeiro, J. Olympio, 1946. 336 p.
A study of crime and criminals, taken from Brazilian literature, chiefly from the contemporary period.

BROCA, Brito. Cinqüenta anos de vida literária. (*In* Jornal de letras, IV, 36, junho, 1952; p. 10-11, and following numbers.)

CALMON, Pedro. História da literatura bahiana. 2a ed. Rio de Janeiro, J. Olympio, 1949. 251 p.
Covers colonial period and 19th century, but gives only scanty notice to the 20th century.

COSTA, Benedicto. Le roman au Brésil. Tr. du portugais. Paris, Garnier, 1918. 205 p.

DIMMICK, Ralph Edward. The Brazilian Literary Generation of 1930. (*In* Hispania, AATSP, XXXIV, 2, May, 1951; p. 181-187.)

ELLISON, Fred P. Brazil's New Novel; Four Modern Masters: José Lins do Rego, Jorge Amado, Graciliano Ramos, Rachel de Queiroz. Berkeley and Los Angeles, Univ. of California Press, 1954, xiii, 191 p.

FRAGOSO, Augusto. Breve história da "Semana de Arte Moderna" em 1922. (*In* Panorama, I, 3, 1952; p. 28-44.)

FREIRE, Laudelino de Oliveira. Clássicos brasileiros. Breves notas para a história da literatura filológica nacional. Rio de Janeiro, Ed. da Revista da Língua Portuguêsa, 1923. V. I.
Short studies of writers on language and grammar.

FUSCO, Rosário. Síntese das actividades literárias brasileiras no decénio 1930-1940. Rio de Janeiro, J. Olympio, 1940.

GARCÍA MÉROU, Martín. El Brasil intelectual. Impresiones y notas literarias. Buenos Aires, Lajouane, 1900. 469 p.

GIFFONI, O. Carneiro. Estética e cultura. São Paulo, Ed. Continental, 1944. 165 p.
Essays on Machado de Assis, Graça Aranha, Bilac, Lima Barreto, and numerous other Brazilian writers concerning their style and craftsmanship.

GRIECO, Agrippino. Genta Nova do Brasil. Rio de Janeiro, J. Olympio, 1935.

LIMA, Alceu Amoroso. La literatura brasileña en el siglo XX. (*In* Revista de la Universidad de Buenos Aires, T. ix, v. I, julio-septiembre, 1951; p. 231-254.)
An excellent synopsis of 20th-century Brazilian literature.

MARTINS, Wilson. A crítica literária no Brasil. São Paulo, Departamento de Cultura, 1952. 152 p.

———. Interpretações. Ensaios de crítica. Rio de Janeiro, J. Olympio, 1946. 361 p.

MILLIET, Sérgio. Diário crítico. São Paulo, Ed. Brasiliense, 1945. 334 p.

———. Diário crítico. V, 1947. São Paulo, Martins, 1949. 287 p.

———. Diário crítico. VI, 1948-1949. São Paulo, Departamento de Cultura, Divisão do Arquivo Histórico, 1950. 382 p.

MONTENEGRO, Tulo Hostílio. Tuberculose e literatura. Rio de Janeiro, Serviço Gráfico do Instituto Brasileiro de Geografia e Estatística, 1949. 220 p.
A study of Brazilian authors, from Alvares de Azevedo to Manuel Bandeira, who suffered from tuberculosis.

MORAES, Carlos Dante de. Realidade e ficção. Rio de Janeiro, Ministério da Educação e Saúde, 1952. 100 p.
Essays on: Graça Aranha, Raul Pompéia, Augusto Meyer, Jackson de Figueiredo, Raul de Leoni, and Athos Damasceno.

NEME, Mário, and others (eds.). Plataforma da nova geração. Pôrto Alegre, Globo, 1945. 292 p.
Answers by 21 "young writers" regarding their outlook of the after-war world of today.

PEIXOTO, Julio Afrânio. Poeira da estrada: ensaios de crítica de história. São Paulo, Editôra Nacional, 1944. 429 p.
Three important essays on Euclides da Cunha, one on Aluísio Azevedo, and others on themes around Brazilian literature.

PUTNAM, Samuel. Adeus ao Brasil. Jornal de bordo. São Paulo, Departamento Estadual de Informações, 1947. 31 p.
A comparison of Brazilian and North American cultural life.

SILVA, João Pinto da. História literária do Rio Grande do Sul. Pôrto Alegre, Globo, 1924. 270 p.

C. ANTHOLOGIES: POETRY

ANTOLOGIA DE POETAS DA NOVA GERAÇÃO. Prefácio de Álvaro Moreyra. Rio de Janeiro, Pongetti, 1950. 166 p.

BANDEIRA, Manuel Carneiro de Sousa (ed.). Antologia dos poetas brasileiros bissextos contemporâneos. 1946. 212 p.

———. Antologia dos poetas brasileiros da fase parnasiana. 2a ed. Rio de Janeiro, Ministério da Educação e Saúde, 1940. 286 p. (1st ed., 1938.)

———. ———. 3a ed. Revisão crítica, em consulta com o autor, por Aurélio Buarque de Hollanda. Rio de Janeiro, Ministério da Educação e Saúde, Instituto Nacional do Livro, 1951. 312 p.

————. Antologia dos poetas brasileiros da fase romântica. Rio de Janeiro, Imprensa Nacional, 1937. 314 p. (2nd ed., 1940.)

————. ————. 3a ed. Revisão crítica, em consulta com o autor, por Aurélio Buarque de Hollanda. Rio de Janeiro, Ministério da Educação e Saúde, 1949. 389 p.
An indispensable work.

————. Obras-primas da lírica brasileira. Seleção de Manuel Bandeira, notas por Edgard Cavalheiro. São Paulo, Martins, 1943? 390 p.

————. Panorama de la poesía brasileña. Prefácio de Otto Maria Carpeaux. Traducción de Ernestina Champourcín. México, Fondo de Cultura Económica (Col. Tierra Firme, 51), 1951. xiv, 274 p.
Essay in Spanish with selections in Portuguese.

BARBOSA, Januario de Cunha (ed.). Parnaso brasileiro, ou Coleção das melhores poesias dos poetas do Brasil, tanto inéditas, como já impresas. Rio de Janeiro, Tip. Imperial e Nacional, 1929-1931. 2 v.

BUSTAMANTE Y VALLIVIÁN, Enrique (ed.). Poetas brasileiros (Traducción anotada). Rio de Janeiro, O Norte, 1922. 175 p.
Biobibliographical notes and translated selections into Spanish from Gonçalves Dias to Reselino Coelho Lisboa.

CAMPOS, Paulo Mendes (ed.). Forma e expressão do soneto. Rio de Janeiro, Ministério de Educação e Saúde, 1952. 53 p.
Selections from 44 different poets, from Gregório de Matos to Geir Campos.

CARVALHO FILHO, Aloysio de (comp.). Coletânea de poetas bahianos. Rio de Janeiro, Minerva, 1951. 272 p.
Selections from 118 poets born in Bahia.

GUIMARAENS, Alphonsus de (ed.). Antologia da poesia mineira. Fase Modernista. Selecção, prefácio e notas de. . . . Belo Horizonte, Livr. Cultura Brasileira, 1946. 107 p.
Selections from Mineiro poets who wrote from 1922 to 1930.

HOLLANDA, Sérgio Buarque de (ed.). Antologia dos poetas brasileiros da fase colonial. II. Revisão por Aurélio Buarque de Hollanda Ferreira. Rio de Janeiro, Ministério da Educação e Saúde, Instituto Nacional do Livro, 1952. 297 p.
Vol. 1 did not appear until 1953.

JORGE, J. G. de Araújo (ed.). Antologia da nova poesia brasileira. Rio de Janeiro, Vecchi, 1948. 430 p.
Selections from the work of 68 poets appearing since 1940, some as yet without a published book, with a brief biographical sketch of each.

LOUSADA, Wilson (ed.). Cancioneiro de amor. Os mais belos versos da poesia brasileira. Arcades — românticos — parnasianos. Rio de Janeiro, J. Olympio, 1950. 202 p.
A well-chosen anthology of love lyrics.

MACHADO, Antônio Carlos (ed.). Coletânea de poetas sulriograndenses, 1834-1951. Rio de Janeiro, Minerva, 1952. 391 p.

MAURICEA, Christovam de (comp.). Antologia mística de poetas brasileiros. Rio de Janeiro, F. Briguiet, 1928. 239 p.

MILANO, Dante (ed.). Antologia de poetas modernos. Rio de Janeiro, Ariel, 1935. 216 p.

MORAES, Alexandre José de Mello (ed.). Poetas brasileiros contemporâneos. Rio de Janeiro, Paris, Garnier, 1903. 344 p.
Contents: Últimos românticos. Scientistas. Parnasianos. Poetas de transição. Simbolistas.

MOURA, Enéas de (ed.). Coletânea de poetas paulistas. Rio de Janeiro, Minerva, 1951. 352 p.
Anthology of 141 poets from the state of São Paulo.

MURICY, Andrade (ed.). Panorama do movimento simbolista brasileiro. Revisão crítica e organização da bibliografia por Aurélio Buarque de Hollanda Ferreira. Rio de Janeiro, Ministério da Educação e Saúde, Instituto Nacional do Livro, 1952. 3 v.: 382, 388, 396 p., illus.

"An indispensable reference tool for all future students of Brazilian Symbolism."—Dimmick.

OLIVEIRA, Alberto de (ed.). Os cem melhores sonetos brasileiros. 5a ed. Revista e atualizada por Edgard Rezende. São Paulo, Rio de Janeiro, Livr. Freitas Bastos, s.a., 1950. 228 p.

OLIVEIRA, José Osório de (ed.). Pequena antologia da moderna poesia brasileira; seleção e pref. de José Osório de Oliveira. Lisboa, Seleção brasileira do S.P.N., 1944. 108 p.

ORICO, Osvaldo (ed. and trans.). Poetas del Brasil. Madrid, Instituto Miguel de Cervantes, 1948. 214 p.

Translations into Spanish of poems from 25 Brazilian poets with a brief introductory sketch on each.

PEIXOTO, Julio Afrânio (ed.). Panorama da literatura brasileira. São Paulo, Editôra Nacional, 1940. 558 p.

Valuable introduction; authors listed by death rather than by schools and periods. Best list of works and dates in any anthology.

RAMOS, Frederico José da Silva (ed.). Grandes poetas românticos do Brasil. Organização, revisão e notas por. . . . Prefácio e notas biográficas pelo Prof. Antônio Soares Amora. Esparsos completos de Pôrto Alegre e Maciel Monteiro. Poesias completas de Gonçalves Dias, Álvares de Azevedo, Casimiro de Abreu, Junqueira Freire, Fagundes Varela e Castro Alves. São Paulo, LEP, 1949. xxviii, 1157 p.

An extremely useful collection for any library or student.

REZENDE, Edgard (ed.). Os mais belos sonetos brasileiros. . . . Prefácio de Oliveira E. Silva. 2a ed. Rio de Janeiro, Vecchi, 1947. 344 p.

————. Os cem melhores sonetos brasileiros. 2a série. Rio de Janeiro, Freitas Bastos, 1950. 262 p.

SERPA, Alberto de (ed.). As melhores poesias brasileiras; seleção, prefácio e notas de. . . . Lisboa, Portugalia, 1943. 290 p.

SILVA, Francisco Oliveira e (ed.). Coletânea de poetas pernambucanos. Rio de Janeiro, Minerva, 1951. 239 p.

Anthology of poets born in the state of Pernambuco, from the 18th century to the present day.

VARNHAGEN, Francisco (Visconde de Pôrto Seguro) (ed.). Florilégio da poesia brasileira, ou Coleção das mais notaveis composições dos poetas brasileiros falecidos, contendo as biografias de muitos deles, tudo precedido de um Ensaio histórico sôbre as letras no Brasil. Bibliografia por Claudio Ribeiro Lessa. Introdução e notas de Rodolfo Garcia da Academia Brasileira. Rio de Janeiro, Z. Valverde, 1946. 3 v.: 436, 389, and 388 p. (First editions: v. I, 1850; v. II, 1850; and v. III, 1853.)

One of the most important reprints of 1946.

D. ANTHOLOGIES: SHORT STORIES

BARBOSA, Almiro Rolmes, and CAVALHEIRO, Edgard (comps.). As obras-primas do conto brasileiro. São Paulo, Martins, 1943. 356 p.

A short study and a conto of each of the 28 authors represented.

CONTOS REGIONAIS BRASILEIROS. Salvador, Progresso, 1951. 225 p.

Short stories by Afonso Arinos, Monteiro Lobato, Vicente de Carvalho, Humberto de Campos, Viriato Corrêa, Martins de Oliveira, Alberto Rangel, H. Lima, Sodré Viana, Darcy Azambuja, Peregrino Júnior, Vitor Gonçalves Neto, and Valdomiro Silveira.

GRIECO, Donatello (ed.). Antologia de contos brasileiros. Organizada . . . com 16 notícias crítico-biográficas. Rio de Janeiro, A Noite, 1942. 261 p.

KARPFEU, Otto Maria (ed.). Antologia de contos de escritores novos do Brasil. Prefácio de. . . . Rio de Janeiro, Revista Branca, 1949. 409 p.

Treats 36 post-World War II writers.

ORICO, Osvaldo (ed. and trans.). Antología de cuentos brasileños. Santiago, Ed. Zig-Zag, 1946. 218 p.
An anthology of Brazilian short stories in Spanish.

SÁNCHEZ-SÁEZ, Braulio (comp.) Primera antología de cuentos brasileños. Buenos Aires, Ed. Espasa-Calpe Argentina, 1946. 219 p.
An anthology of Brazilian short stories in Spanish.

E. ANTHOLOGIES: MISCELLANEOUS

BARRETO, Fausto Carlos, and LAET, Carlos Maximiano Pimenta de (comps.). Antologia nacional ou coleção de excertos. . . . 23a ed. São Paulo, Rio de Janeiro, Alves, 1941.

CRUZ, Estévão (ed.). Antologia da língua portuguêsa. 4a ed. Pôrto Alegre, Globo, 1942.
Portuguese and Brazilian authors, with biographies.

MONTEIRO, Clovis de Rego (ed.). Nova antologia brasileira. 7a ed. Rio de Janeiro, F. Briguiet, 1941. 484 p.
Biographies and good critical comment.

MURICY, José Cândido de Andrade (ed.). A Nova Literatura Brasileira, crítica e antologia. Pôrto Alegre, Livr. do

Globo; Barcellos, Bertaso e cia., 1936. 425 p.

OLIVEIRA, José Osório de (ed.). Prosas brasileiras. Lisboa, Livr. Bertrand, 1947. 250 p.
Selections from Ronald de Carvalho, Alcântara Machado, Joaquim Nabuco, Euclides da Cunha, Humberto de Campos, Taunay, Monteiro Lobato, Alberto Rangel, França Júnior, Paulo Barreto, Mário de Andrade, Augusto Meyer, Plínio Salgado, and Afrânio Peixoto.

ORBAN, Victor (ed.). Littérature brésilienne. Préface de M. de Oliveira Lima. Paris, Garnier (1910). (2nd ed., 1914.) 528 p.
Biographical notices of authors with translations of selections; biographical and bibliographical supplements: p. 471-482.

F. BIBLIOGRAPHIES

ANUÁRIO BRASILEIRO DE LITERATURA. Rio de Janeiro, Pongetti, 1937-1942; Z. Valverde, 1943— .
Increasingly valuable for annual bibliography and survey of literary scene.

BELL, Aubrey Fitz Gerald. Portuguese Bibliography. Oxford, 1922. 381 p.
The Brazilian titles are in the general section; p. 56-57.

BOLETIM BIBLIOGRÁFICO BRASILEIRO. Publicação bimestral sob os auspícios do Sindicato Nacional das Emprêsas Editôras de Livros e Publicações Culturais. Rio de Janeiro, I, 1, nov.-dez., 1952; jan.-fev., 1953; and following.

BRASIL. Biblioteca Nacional. Divisão de Obras Raras e Publicações. Boletim Bibliográfico. Rio de Janeiro, I, 1, 1 trimestre, 1951, i.e., 1952.

——. ——. Anais da Biblioteca Nacional. Rio de Janeiro, 1876-19—.

V. I—. An index to volumes I-XX is found in Volume XX, p. 315-337.
The most important source for historical and bibliographical studies in Brazil.

FICHÁRIO. Resenha da bibliografia brasileira. Rio de Janeiro, Pongetti, 1950. Ano 1, no. 1, jan.-fev.

FORD, Jeremiah D. M., WHITTEM, Arthur F., and RAPHAEL, Maxwell I. A Tentative Bibliography of Brazilian Belles-Lettres. Cambridge, Mass., Harvard Univ. Press, 1931. 201 p.
A useful list but without annotations. Still valuable for 19th century.

GRIFFIN, William J. Brazilian Literature in English Translation. (In Revista Interamericana de Bibliografía, V, 1-2, 1955; p. 21-37.)

HANDBOOK OF LATIN AMERICAN STUDIES: 1952. No. 18. Prepared in the Hispanic Foundation in the Library of

Congress. Francisco Aguilera, ed. Phyllis G. Carter, asst. ed. Brazilian Literature by Ralph Edward Dimmick; Samuel Putnam, ed. before 1948. Gainesville, University of Florida Press, 1955, x, 324 p.
Brazilian literature entries since 1935.

INSTITUTO NACIONAL DO LIVRO. Bibliografia brasileira, Rio de Janeiro, 1941. (For years 1938-1939.) 314, viii p.
An excellent current bibliography with entries under author, subject, and title.

KARPFEU, Otto Maria (pseud., Carpeaux, Otto Maria). Pequena bibliografia crítica da literatura brasileira. Rio de Janeiro (?), Ministério da Educação e Saúde, 1951. 271 p.
An indispensable reference work, but not distributed in the United States.

KNIGHT, Jones Cecil. "Brazil," *in* A Bibliography of Latin American Bibliographies. Washington, D.C., Library of Congress, 1952. 2nd ed. P. 99-125.
An annotated bibliography on varied subjects, including journalism, history, etc.

LATIN AMERICAN PERIODICALS CURRENTLY RECEIVED IN THE LIBRARY OF CONGRESS. Preliminary edition. Murray M. Wise, ed. Washington, D.C., The Hispanic Foundation in The Library of Congress, 1941. viii, 137, vii p.
A list of 915 Latin American periodicals, with full bibliographical data.

MANUAL BIBLIOGRÁFICO DE ESTUDOS BRASILEIROS, sob a direção de Rubens Borba de Moraes e William Berrien. Rio de Janeiro, Gráfica Editôra Souza, 1949. 898 p.
A great contribution to the bibliography of Brazil—in all fields.

NEVES, Fernão. A Academia Brasileira de Letras. Notas e documentos para a sua história (1896-1940). Prefácio de Afrânio Peixoto. Rio de Janeiro, Academia Brasileira de Letras, 1940. 304 p.
Includes biographies and bibliographies of principal works of all members.

REIS, Antônio Simões dos. Bibliografia das bibliografias brasileiras. Rio de

Janeiro, Instituto Nacional do Livro, 1942. 186 p.
Gives recent Braziliana; arranged chronologically with biographies of certain authors but without critical contents or estimate of value.

————. Bibliografia da História da Literatura Brasileira de Sílvio Romero. I. Rio de Janeiro, Z. Valverde, 1944. 305 p.
A first attempt to furnish documentation for a history of Brazilian literature.

————. Bibliografia brasileira. I. Poetas do Brasil. 1° v. Rio de Janeiro, Organização Simões, 1949. 176 p.
Includes poets whose last name begins with A.

REVISTA INTERAMERICANA DE BIBLIOGRAFIA. REVIEW OF INTER-AMERICAN BIBLIOGRAPHY. Ed., Xavier Malagón; asst. ed., José E. Vargas. Washington, D.C., Pan American Union, 1951—.
A general bibliography on Ibero-America; book reviews by leading scholars; and bibliographical notes by countries.

SANTOS, José dos. Bibliografia da literatura clássica luso-brasílica. Elementos subsidiários para a bibliografia portuguêsa. Lisboa, 1916—. 256 p.
Eight *cadernetas* through "Almeida, Padre Teodoro de." Full descriptions; valuable as far as it goes.

SANTOS, Manuel dos. Bibliografia geral ou descrição bibliográfica de livros tanto de autores portuguêses como brasileiros . . . impressos desde o século XV até atualidade. Lisboa, 1914-1917.

SILVA, Innocencio Francisco da. Dicionário bibliográfico português: estudos . . . aplicáveis a Portugal e ao Brasil. Lisboa, 1858-1923. 22 v.

————. ————. Com aditamentos, por Martinho A. F. da Fonseca. Coimbra, 1927. 377 p.

————. ————. Com aditamentos, por por José Soares de Sousa. São Paulo, 1938. 264 p.
V. I-IX by da Silva, continued by Brito Aranha (v. X-XX); by J. J. Gomes de Brito and Álvaro Neves (v. XXII). Fonseca's *aditamentos* constitute v. XXIII.

VOIGTLANDER, Maria Leonor. Bibliografia da história da literatura brasileira. (*In* Boletim Bibliográfico, São Paulo, XIV; p. 103-116.)

A bibliography of histories of Brazilian literature.

ZEITLIN, Marion. "A Bibliographical Introduction to Brazilian Literature for Those Reading Only English and Spanish." (*In* An Outline History of Spanish American Literature [E. H. Hespelt, ed.], 2nd ed. New York, F. S. Crofts, 1942. P. 161-166.)

G. BIOBIBLIOGRAPHIES

BLAKE, Augusto Victorino Alves Sacramento. Diccionário bibliográfico brasileiro. Rio de Janeiro, Tip. Nacional, 1883-1902. 7 v.

A valuable reference work for biobibliographical data; alphabetical by first forename.

FISHER, Jango. Índice alfabético do Diccinário bibliográfico de Sacramento Blake. Rio de Janeiro, 1937. 127 p.

MARTIN, Percy Alvin. Who's Who in Latin America. A biographical dictionary of the outstanding men of Spanish America and Brazil. Stanford University, Calif., Stanford Univ. Press, 1935. 2nd ed. revised and enlarged, 1940. 558 p.

VELHO SOBRINHO, João Francisco. Dicionário biobibliográfico brasileiro. Rio de Janeiro, 1937-1940. V. I, Aarão Garcia - Azevedo Castro; v. II, B. Virgínia.

Planned for 16 volumes, but publication ceased with death of author in 1939. Good for biography but deficient in bibliography. Valuable for material on contemporaries.

H. COLONIAL PERIOD: GENERAL STUDIES

ABREU, Capistrano de. Ensaios e estudos. I. Rio de Janeiro, Sociedade Capistrano de Abreu, 1931.

Useful for Gongorism.

FRANCO, Afonso Arinos de Melo. Mar de sargaço. São Paulo, Martins, 1944. (Literatura colonial brasileira, p. 16-50.)

LAMEGO, Alberto. A Academia brasileira dos renascidos; sua fundação e trabalhos inéditos. Paris-Bruxelles, L'Edition d'Art Gaudio, 1923. 120 p.

Brazilian colonial literary history. First quarter of the 18th century.

LIMA, Manuel de Oliveira. Aspectos da literatura colonial brasileira. Leipzig, Brockhaus, 1896. 301 p.

The best work on the subject.

MACEDO, Sérgio D. T. de. A literatura do Brasil colonial. Introdução ao estudo da literatura brasileira. Rio de Janeiro, Ed. Brasileira (1939). 106 p.

PERIÉ, Eduardo. A literatura brasileira nos tempos coloniais, do século XVI ao comênço do século XIX. Buenos Aires, E. Perié, 1885. 442 p.

A work somewhat out of date. Contains some bibliography.

TAUNAY, Affonso d'Escragnolle. Escritores coloniais; subsídios para a história da literatura brasileira. São Paulo, Diário Oficial, 1925. 292 p.

Bibliography given for each author studied.

SEE ALSO STANDARD WORKS:
Sílvio Romero, J. Veríssimo, and others.

I. ROMANTICISM AND INDIANISM: GENERAL STUDIES

ABREU, Capistrano de. Ensaios e estudos. I. Rio de Janeiro, Sociedade Capistrano de Abreu, 1931. (See: A literatura brasileira contemporânea; p. 61-107.)

Written in 1875, it is still the best study on Romantic Indianism.

BANDEIRA, Manuel Carneiro de Sousa (ed.). Antologia dos poetas brasileiros da fase romântica. 2a ed. Rio de Ja-

neiro, Ministério da Educação e Saúde, 1940; p. 7-19.
The best introduction to Brazilian Romantic poets.

DRIVER, D. The Indian in Brazilian Literature. New York, Instituto de las Españas, 1942. 190 p.

GAMA, A. C. Chichorro da. Românticos brasileiros. Apontamentos sôbre alguns. Rio de Janeiro, Briguiet, 1927.
Short biographies with an anthology.

HADDAD, Jamil Almansur. O romantismo brasileiro e as sociedades secretas do tempo. São Paulo, Indústria Gráfica Sigueira, 1945. 116 p.

PARANHOS, Haroldo. História do romantismo no Brasil. V. I. (1500-1830). A evolução da literatura brasileira antes do romantismo; v. II (1830-1850), Primeira geração romântica.

São Paulo, Ed. Cultura brasileira, 1937.
Author promises: v. III, Segunda geração; v. IV, Terceira geração e fim do romantismo.

PICCAROLO, Antônio. O romantismo no Brasil. (*In* Sociedades de Cultura Artística, Conferências 1914-1951. São Paulo, Tip. Levi, 1916; p. 3-82.)

PINTO, Manoel de Sousa. O indianismo na poesia brasileira. Coimbra, Editôra Coimbra, 1928. 24 p.

ROMERO, Sílvio. História da literatura brasileira. 1888. (3a ed. Rio de Janeiro, J. Olympio, 1943. V. III; p. 93-385; v. IV, p. 11-370.)
Still the best study on the Romantic poets.

VERÍSSIMO, José. História da literatura brasileira. Rio de Janeiro, F. Alves, 1916; p. 189-340.
Sympathetic to the Romantic poets.

SEE ALSO HISTORIES OF LITERATURE.

II. Criticism, Essay, Journalism, and Biography

A. ESSAY: GENERAL STUDIES

CRAWFORD, William Rex. A Century of Latin American Thought. Cambridge, Mass., Harvard Univ. Press, 1944. 320 p.

FRANCOVICH, Guillermo. Filósofos brasileños. Buenos Aires, Ed. Losada, s.a., 1943. 150 p. (1st ed., 1939.)

GÓMEZ ROBLEDO, Antonio. La filosofía en el Brasil. México, Imprenta Universitaria, 1946. xvii, 203 p.

LEÃO, Antônio Carneiro. O sentido da evolução cultural do Brasil. Rio de Janeiro, Ministério das Relações Exteriores, 1946. 217 p.
Lectures given in 1941.

OLIVEIRA, José Osório de (ed.). Ensaístas brasileiros. Selecção, prefácio e notas por. . . . Lisboa, Bertrand, n.d., 272 p.
Essayists treated in anthology: Vicente Licínio Cardoso, Alberto Torres, Nina Rodrigues, Gilberto Freyre, Euclides da Cunha, Oliveira Viana, Paulo Prado, Sérgio Buarque de Holanda, Mário de Andrade, João Ribeiro, José

Veríssimo, Tristão de Athayde, and Graça Aranha.

PACHECO, Armando Correia (ed.). Ensayistas del Brasil. Escuela de Recife. Selección, traducción, prólogo y notas de. . . . Washington, Unión Panamericana, 1952. 146 p.
Introductory studies and anthological excerpts on: Tobías Barreto, Sílvio Romero, Clóvis Bevilaqua, and Tito Livio de Castro.

SÁNCHEZ REULET, Aníbal. La filosofía latino-americana contemporánea. Selección, pról. y notas de A. Sánchez Reulet. Washington, Unión Panamericana, México, Talleres gráficos de la Nación, 1949. 370 p. Extensive bibliography, p. 349-370.
Includes studies on Raimundo de Farias Brito and Jackson de Figueiredo.

————. Contemporary Latin-American Philosophy. A selection with an introduction and notes. Trans. from the Spanish and Portuguese by Willard R. Trask. Albuquerque, Univ. of New Mexico Press, 1954. xx, 285 p.

Sodré, Nelson Werneck. Orientações do pensamento brasileiro. Rio de Janeiro, Vecchi, 1942. 190 p.
Interesting articles on: Azevedo Amaral, Gilberto Freyre, Oliveira Vianna, Fernando de Azevedo, Graciliano Ramos, José Lins do Rêgo, Jorge Amado, and Lucio Cardoso as different manifestations of contemporary Brazilian thought.

B. CRITICISM, ESSAY, JOURNALISM, AND BIOGRAPHY

Albuquerque, José Joaquim de Campos da Costa de Medeiros e, 1867-1934. Homens e cousas da Academia. Rio de Janeiro, Renascença Editôra, 1934. 330 p.
Critic of neo-Parnassian movement.

————. Páginas de crítica. Rio de Janeiro, Leite Ribeiro e Maurillo, 1920.

Alencar, José Martiniano de, 1829-1877. Cartas sôbre a Confederação dos Tamoyos, por Ig. (pseudônimo). Rio de Janeiro, Emp. Tip. Nac. do Diário, 1856. 96 p.
Eight letters of criticism of poem by Gonçalves de Magalhães, "A Confederação dos Tamoios," published around 1856.

————. Ao correr da penna; revista hebdomadaria das páginas menores do Correio Mercantil. São Paulo, 1843. 310 p. Rio de Janeiro, 1888.

————. Como e porque sou romancista. Published in 1893 by Mário de Alencar.

————. Ao imperador; cartas políticas de Erasmo (pseud.). Rio de Janeiro, 1865. 92 p.

————. Ao povo; cartas políticas de Erasmo. Ao marques de Olinda. Ao visconde de Itaborahy; carta sôbre a crise financeira. 3 pts. in 1 v.

Alencar, Mário Cochrane de. Alguns escritos. Rio de Janeiro, 1910. 158 p.
See pages specially dedicated to Machado de Assis, an intimate friend of the author.

Almeida, Guilherme de, 1890- . Do sentimento nacionalista na poesia brasileira, 1925; and Ritmo, elemento de expressão, 1926.

Almeida, José Américo de, 1887- . A Parahyba e seus problemas. 2nd ed. Pôrto Alegre, Livr. do Globo, Barcellos, Bertaso e Cia., 1937. 290 p.

Alves, Antônio Constâncio, 1862-1933. Figuras. Rio de Janeiro, Edição do Anuário do Brasil (1921). 196 p.
Essays on Brazilian writers, artists, etc., and on some foreign ones.

Amado, Genolino. Vozes de mundo. Ensaios literarios. Nova. ed. Rio de Janeiro, Ed. Universal, 1946. 185 p.
Essays covering a wide range of literary figures.

Amado, Gilberto, 1887- . A chave de Salomão. Rio de Janeiro, F. Alves, 1914.

————. A dansa sôbre o abismo. Rio de Janeiro, Ariel, 1933. 244 p.
Two parts: first one deals with literary studies; the second, with social problems of Brazil.

————. Grão de areia. Rio de Janeiro, J. Ribeiro dos Santos, 1919.

————. As instituciões políticas e o meio social do Brasil. 1924.

Amado, Jorge, 1912- . Homens e coisas do Partido Comunista. Rio de Janeiro, Edições Horizonte, 1946. 63 p.

————. Vida de Luís Carlos Prestes, o Cavalheiro da esperança. 6th ed. São Paulo, Martins, 1945? 366 p.

Amaral, Amadeu. O elogio da mediocridade; estudos e notas de literatura. São Paulo, Editôra Nova Era, 1924. 244 p.
Other works: Letras Floridas, 1920; Um Soneto de Bilac, 1920; Dante, 1941; A Poesia da Viola, 1921; Luís de Camões, 1924; Tradições populares, 1948.

Critical References: Damante, Hílio. Perfil de Amadeu Amaral. (*In* Revista do arquivo municipal, São Paulo, ano 15, v. CXXV, junho, 1949; p. 65-90.) Pacheco, João. Amadeu Amaral. (*In* Revista do arquivo municipal, São Paulo, ano 16, v. CXXIX, nov-dez., 1949; p. 3-35.)

AMARAL, Antônio José Azevedo de, 1881-1945. Ensaios brasileiros. Rio de Janeiro, 1930. 298 p.
Philosophical essays. Later publications of A. Amaral showed a fascistic tendency.

ANCHIETA, José de, 1533-1597. Arte de grammatica da lingoa mais usada na costa do Brasil. Publicada por Julio Platzmann. Ed. facsimilaria stereotypa. Leipzig, Teubner, 1876. 58 numb. 11.

―――. Informações e fragmentos históricos do Padre Joseph de Anchieta, S.J. (1584-1586). Rio de Janeiro, Imp. Nacional, 1886. xvi, 84 p.

ANDRADE, Carlos Drummond de, 1902- . Passeios na ilha. Divagações sôbre a vida literária e outras matérias. Rio de Janeiro, Organização Simões, 1952. 25 p.
Essays on a variety of subjects, but including some very valuable literary criticism.

ANDRADE, José Oswald de Sousa, 1890- . A Arcádia e a inconfidência. São Paulo, 1945. 60 p.
Deals with the relation of the Minas Conspiracy to the Arcadian movement in poetry of the latter half of the eighteenth century.

―――. Ponta de lança. São Paulo, Livr. Martins, 1945. 141 p.
Newspaper articles with political and social questions, but literary and artistic themes predominate.

ANDRADE, Mário Raul Moraes de, 1893-1945. O Aleijadinho e Alvares de Azevedo. Rio de Janeiro, Ed. Revista Acadêmica, 1935.

―――. Aspectos da literatura brasileira. Rio de Janeiro, Americ. Edit., 1943. 250 p.
Literary essays, from 1931 to 1941.

―――. O baile das quatro Artes. São Paulo, Martins, 1943.

―――. O empalhador de passarinho. São Paulo, Martins, 1946? 250 p.
Posthumous collection of literary criticism originally published between 1938-1944.

―――. Ensaio sôbre música brasileira. São Paulo, Chiarato e Cia., 1928.

―――. O movimento modernista. Rio de Janeiro, Casa do Estudante do Brasil, 1942.

―――. Música, doce música. São Paulo, L. G. Miranda, 1933.
Also: Carta aberta a Alberto de Oliveira, 1925. For critical references see entries in Poetry section.

ARANHA, José Pereira da Graça, 1868-1931. Espíritu moderno. 2a ed. São Paulo, Ed. Nacional, 1932? 202 p. (1st ed., 1925.)

―――. A estética da vida. Rio de Janeiro, Garnier, 1925? 236 p. (1st ed., 1920.)

―――. Machado de Assis e Joaquim Nabuco: comentários e notas à correspondência entre êstes dois escritores. São Paulo, Monteiro Lobato, 1923. 268 p. (2nd ed., Rio de Janeiro, Briguiet, 1942. 269 p.)
For critical references, see entries in the section on the Novel.

ARARIPE, Tristão de Alencar (júnior), 1848-1911. José de Alencar. Rio de Janeiro, Fauchon, 1882.

―――. Gregorio de Mattos. Rio de Janeiro, Fauchon, 1894.

―――. Literatura brasileira, movimento de 1893. Rio de Janeiro, Democrática Editôra, 1896.

―――. Raul Pompéia, O Ateneu e O romance psicológico. (Series of 19 articles in *Novidades* in December, 1888, and in January and February, 1889.)

―――. A Terra de Zola, e o Homem, de Aluízio de Azevedo. (23 articles in *Novidades*, February, March, and April, 1888.)

CRITICAL REFERENCE: CASTELLO, José Aderaldo. Biografia literária de Araripe Júnior—o homem e a época. A propósito do centenário de seu nascimento. (*In* Revista do instituto do Ceará, ano 6, v. LXII, 1948; p. 221-242.)

ARAÚJO, Joaquim Aurélio Barreto Nabuco de, 1849-1910. Camões e Os Lusiadas, 1872, Castro Alves, 1873.

————. Escritos e discursos literários, por. . . . São Paulo, Editôra Nacional, 1939. 296 p.
Conferences, lectures, and articles dated from 1880 to 1901.

————. Minha formação (1st ed., 1900; 2nd, 1937).

————. Obras completas. Ed. by Celso Cunha. São Paulo, Ipê, 1947-1949. 14 v.
Contents: v. I. Minha formação; v. II. Balmaceda e A Intervenção estrangeira; v. III-VI, Um Estadista do impêrio; v. VII. O Abolicionismo; v. VIII. O direito do Brasil; v. IX. Escritos literários; v. X. Pensamentos soltos, etc.; v. XI. Discursos políticos; v. XII. Campanhas de imprensa; v. XIII-XIV. Cartas à amigos.

CRITICAL REFERENCES: BIBLIOGRAFIA DE JOAQUIM NABUCO. (In Autores e livros, ano 9, X, 11, agôsto, 1949; p. 127-128.) ARANHA, GRAÇA. Machado de Assis e Joaquim Nabuco. Comentários e notas à correspondência entre êstes dois escritores. São Paulo, Monteiro Lobato, 1923. (2nd ed., Rio de Janeiro, Briguiet, 1942. 269 p.) ARAÚJO, Carolina Nabuco de. A vida de Joaquim Nabuco por sua filha Carolina Nabuco. São Paulo, Editôra Nacional, 1928. 526 p. ————. The Life of Joaquim Nabuco. Trans. by and with an introd. by Ronald Hilton. Stanford University, Calif., Stanford Univ. Press, 1950, xxv, 373 p. FREITAS, Newton. Joaquim Nabuco—homem do litoral. (In Cultura, Rio de Janeiro, ano 1, no 3, maio - agôsto, 1949; p. 127 - 140.) FREYRE, Gilberto. Joaquim Nabuco. Rio de Janeiro, J. Olympio, 1948. 47 p. HILTON, Ronald. Joaquim Nabuco e a civilização anglo-americana. (In Revista do Instituto Brasil-Estados Unidos, VII, 16, julho-dez., 1949; p. 5-42.) JORNAL DO BRASIL. Rio de Janeiro, 19 de agôsto, segunda secção, 1949; 16 p. Special supplement devoted to J. Nabuco. NORDESTE. Ano 4, no. 4, set.-out., 1949. Recife. Number dedicated to

J. Nabuco. POMPEU, A. Ruy e Nabuco. São Paulo, Revista dos Tribunais, 1930. 154 p. VIEIRA, Celso. Joaquim Nabuco. São Paulo, Ipê, 1949. 310 p.

ASSIS, Joaquim Maria Machado de, 1839-1908. Crítica literária. Prefácio de Mário de Alencar. Rio de Janeiro, Jackson Inc., 1937. 344 p.
Collection of literary articles from 1858 to 1906.

————. O novo mundo, 1873. Criticism.

————. A Semana. Edição collegida por Mário de Alencar. Rio de Janeiro, Paris, Garnier, 1916. x, 455 p. (Articles published in the Gazeta de notícias, from April, 1892, to March, 1897.)
See entries on Novel for critical references.

ATHAYDE, Austregésilo de. Fora da imprensa. Rio de Janeiro, O Cruzeiro, 1948. 177 p.
Articles on foreign and Brazilian literature.

AZEREDO, Carlos Magalhães de, 1872- . Homens e livros. Rio de Janeiro, Garnier, 1902. 285 p.
Brazilians studied: Garrett, Machado de Assis, Sílvio Romero, Alberto de Oliveira, and José Veríssimo.

AZEVEDO, Fernando de, 1894- . A cultura brasileira: introdução ao estudo da cultura no Brasil. Rio de Janeiro, Serviço Gráfico do Instituto Brasileiro de Geografia e Estatística, 1943. 538 p.
A standard work.

AZEVEDO, Raul de. Terras e homens. Ensaios. Rio de Janeiro, Pongetti, 1948. 247 p.
Eulogistic essays, chiefly on literary figures of northern Brazil.

BANDEIRA, João Carneiro de Sousa, 1865-1917. Estudos e ensaios. Rio de Janeiro, Garnier, 1904. 235 p.
Essays on philosophy, law, history, and religion.

BANDEIRA, Manuel Carneiro de Sousa, 1886- . Crônicas da província do Brasil. Rio de Janeiro, Civilização Brasileira, s.a., 1937. 268 p.

————. Guia de Ouro Prêto. Ilustrações de Luís Jardim. Rio de Janeiro, Ministério da Educação e Saúde, 1938. 163 p.

————. Noções de história das literaturas. São Paulo. Editôra Nacional, 1940. xviii, 377 p.
See entries under Poetry for critical references.

BARRETO, João Paulo Emílio Christovão dos Santos, 1881-1921. As religiões no Rio. 2nd ed. Rio de Janeiro, Garnier, 1906.
Critic of neo-Parnassians.

————. O momento literário. Por João do Rio (pseud.). Rio de Janeiro, Garnier, 1908? 334 p.

BASTOS, Aureliano Cândido Tavares, 1839-1875. Cartas do Solitário. Rio de Janeiro, Tip. do Correio Mercantil, 1862.

————. ————. São Paulo, Editôra Nacional, 1938.

————. A Província. Rio de Janeiro, Garnier, 1870.

————. ————. São Paulo, Editôra Nacional, 1937.

————. O Vale do Amazonas. Rio de Janeiro, Garnier, 1866.

————. ————. São Paulo, Editôra Nacional, 1937.

CRITICAL REFERENCE: PONTES, Carlos. Tabares Bastos. São Paulo, Editôra Nacional, 1939. 360 p. Definitive monograph with bibliography.

BEVILAQUA, Clóvis de, 1859-1944. Criminologia e direito. Bahia, Livr. Magalhães, 1896. 245 p.

————. Épocas e individualidades. Bahia, Livr. Magalhães, 1895. 212 p.

————. Esboços e fragmentos. Pref. by Araripe Júnior. Rio de Janeiro, Laemmert, 1899. 294 p.

————. Estudos jurídicos. Rio de Janeiro, Livr. F. Alves, 1916. 300 p.

————. Frases e fantasias. Recife, Hugo e Cia., 1894.

————. História da Facultade de Direito do Recife (11 de agôsto de 1827—11 de agôsto de 1927). Rio de Janeiro, F. Alves, 1927. 2 v.

————. Juristas filósofos. Bahia, Livr. Magalhães, 1897. 143 p.

————. Linhas e perfis jurídicos; antologia jurídico-literária. Rio de Janeiro, Freitas Bastos, 1930. 338, ii p.
For list of complete works of Bevilaqua, see p. 5-6.

————. Revivendo o passado, III; Figuras e datas (1876-1881). Rio de Janeiro, Rodrigues e Cia., Jornal do Comércio, 1939. 115 p.

————. Sílvio Romero. Lisboa, A. Editôra, 1905. 42 p.

————. Vigílias literárias. Recife, 1879-1882. 2 v.

CRITICAL REFERENCES: LEÃO, Antônio Carneiro, and LIMA SOBRINHO, Barbosa. Discursos na Academia Brasileira, em 1° de setembro de 1945. Rio de Janeiro, 1946. 63 p. MARTÍNEZ PAEZ, Enrique. Clóvis Bevilaqua. Córdoba, Argentina, Imprenta da la Universidad de Córdoba, 1944. 26 p. PICANÇO, Macário Lemos. Clóvis Bevilaqua, sua vida e sua obra. Rio de Janeiro, Braga and Valverde, n.d. 246 p. SILVEIRA, Alípio. Professor Clovis Bevilaqua's Political and Juristic Thought. With a letter from His Excellency Franklin D. Roosevelt. São Paulo, Tip. Brasil, 1945. 16 p.

BILAC, Olavo Braz Martins dos Guimarães, 1865-1918. Conferências literárias. Rio de Janeiro, F. Alves, 1912. 383 p.

————. Crítica e fantasia. Lisboa, 1904.

BORBA, José Osorio de Morais. A comédia literária. Rio de Janeiro, Alba Editôra, 1941. 269 p.
Contemporary criticism on writers, artists, and works of art.

BRAGA, Rubem. O conde e o pasarinho: crônicas. Rio de Janeiro, J. Olympio, 1936. 196 p.

―――. O homem rouco. Rio de Janeiro, J. Olympio, 1949. 195 p.
Crônicas: April, 1948—July, 1949.

―――. Um pé de milho. Crônicas. Rio de Janeiro, J. Olympio, 1948. 169 p. Newspaper articles.

BRANDÃO, Ambrósio Fernandes. Diálogos das grandezas do Brasil. (First written in 1618.) Rio de Janeiro, Dois Mundos, 1943. 318 p.
Reprint of the classic early 17th-century work, with an *apresentação* by Jaime Cortesão, a preliminary note by Afrânio Peixoto, an introduction by Capistrano de Abreu, and notes by Rodolfo Garcia. Has more notes than the 1930 edition. An authoritative edition.

BRITO, Raimundo de Farias, 1862-1917. Finalidade do mundo: Estudos de philosophia e teleologia naturalista. (V. I. A philosophia como atividade permanente do espíritu humano. Fortaleza, 1895; v. II. A philosophia moderna. Ceará, 1899; v. III. O mundo como atividade intelectual.) Pará, 1905.

―――. A base physica do espírito: história summaria do problema da mentalidade como preparação para o estudo da philosophia do espírito. Rio de Janeiro, 1912.

―――. O Mundo interior: ensaio sôbre os dados gerais da filosofia do espírito. Rio de Janeiro, Revista dos Tribunais. 1914. 486 p.

―――. A verdade como regra das ações: Ensaio de philosophia moral como introdução ao estudo do direito. Pará, 1905.

CRITICAL REFERENCES: COSTA, João Cruz. A filosofia no Brasil. Pôrto Alegre, 1945; p. 39-105. LIMA, Alceu Amoroso. Estudos. Primeira série: A estética de Farias Brito. Rio de Janeiro, 1927. MARTINS, Jackson de Figueiredo. Algumas reflexões sôbre a philosophia de Farias Brito; profissão de fé espiritualista. Rio de Janeiro, 1916. ―――. A questão social na philosophia de Farias Brito. Rio de Janeiro, 1916. RABELO, Silvio. Farias Brito ou uma aventura do espírito. Rio de Janeiro, Olympio, 1941. 232 p. SERRANO, Jônatas. Farias Brito, o homem e a obra. São Paulo, Editôra Nacional, 1939. 319 p.

CAMINHA, Adolfo Ferreira, 1867-1897. Cartas literárias. Rio de Janeiro, 1895. 244 p.
Literary articles from 1885 to 1895.

CAMINHA, Pedro Vaz de. Carta; versão em linguagem actual, com anotações da doutôra D. Carolina Michäelis de Vasconcelos. (História da colonização portuguêsa do Brasil, II; p. 86-99. Pôrto, 1923.)
Letter to King Dom Manuel; dated May 1, 1500.

CAMPOS, Humberto de. Fatos e feitos. Rio de Janeiro, W. M. Jackson, 1949. 298 p.
Articles which originally appeared in the early 1920's.

CANABRAVA, Euryalo. Seis temas do espírito moderno. São Paulo, 1941. 227 p.

CÂNDIDO, Antônio. Brigada ligeira. São Paulo, Martins, 1945? 125 p.
Collection of brief essays of a contemporary interest.

CANECA, Joaquim do Amor Divino, frei, 1779-1825. Obras políticas e literárias de Frei Joaquim do Amor Divino Caneca, colecionadas pelo Comendador Antônio Joaquim de Melo. Recife, 1875. 2 v.
Frei Caneca was a leader of the Revolution of 1824.

CARDIM, Fernão, padre, 154?-1625. Tratados da terra e gente do Brasil. Rio de Janeiro, J. Leite, 1925. 434 p. A 16th-century manuscript.

CARDOSO, Fausto de Aguiar, 1864-1906. Concepção monística do universo; introdução ao cosmos do direito e da moral. Prefácio, Graça Aranha. Rio de Janeiro, Laemmert, 1894. 293 p.
Also: Taximonia social, 1898.

CARDOSO, Vicente Licinio, 1889-1931. Pensamentos brasileiros: (golpes de vista). Rio de Janeiro, Anuário do Brasil (1924). 319 p.
Other works: A margem da história do Brasil, 1933; Philosophia de arte, 1935.

CARNEIRO, Diogo Gomes, 1618-1676. Oração apodíxica aos cismáticos da pátria; oferecida a Francisco de Lucena, do Conselho de sua majestade, seu secretário de Estado, etc., pelo doutor Diogo Gomes Carneiro, brasiliense natural do Rio de Janeiro. Lisboa, Na Oficina de Lourenço de Anveres, 1601. 68 p.
Perhaps the first prose published by a Brazilian. Facsimile edition of 1924 found in volume XIV of Estante Clássica da Revista de Língua Portuguêsa, Rio de Janeiro.

CARVALHO, Elísio de, 1860-1925. Laureis insignes. Rio de Janeiro, Anuário do Brasil, 1924. 269 p.

CARVALHO, Ronald de, 1893-1935. Estudos brasileiros. Rio de Janeiro, Anuário do Brasil, Briguiet, 1924, 1931. 3 v.

CASTRO, Tito Livio de. Questões e problemas. Publicação póstuma. Com um prefácio de Sílvio Romero. São Paulo, Empresa de Propaganda Luso-Brasileira, 1913. xlv, 227 p. Literary articles.

CAVALCANTI, José Lins do Rêgo, 1901- . Gordos e magros, ensaios. Rio de Janeiro, C.E.B., 1942. 351 p.

———. Homens e coisas. Rio de Janeiro, Ministério da Educação e Saúde, Serviço de Documentação, 1952. 77 p.
Reprints of various newspaper articles written during the preceding 10 years.

———. Poesia e vida. Rio de Janeiro, Ed. Universal, 1945. 261 p.
Short critical literary essays.

CAVALHEIRO, Edgard. Fagundes Varela. São Paulo (1940). 350 p.
Biography of the famous Brazilian Romantic poet.

———. García Lorca. São Paulo, Martins, 1946. 165 p.

CORRÊA, Roberto Alvim. Anteu e a crítica. Ensaios literários. Rio de Janeiro, J. Olympio, 1948. 280 p.
Essays on literary figures; some French, but chiefly contemporary Brazilian.

COSTA, Odílio de Moura (filho). Graça Aranha e outros ensaios; ensaios de crítica brasileira. Prêmio Ramos Paz, da Academia brasileira de letras. Rio de Janeiro, Selma Ed., 1934. 147 p.

CRULS, Gastão Luís, 1888- . Hiléia amazônica. São Paulo, Rio de Janeiro, Editôra Nacional, 1944. 267, xlviii p.
Contents: Flora. Fauna. Arqueologia. Etnografia indígena.
See section on the Novel.

———. Aparencia do Rio de Janeiro; notícia histórica e descritiva da cidade. Prefácio de Gilberto Freyre. Desenhos de Luís Jardim e fotografias de Sascha Harniseh. Rio de Janeiro, J. Olympio, 1949. 2 v.
A study of Rio de Janeiro.

CRUZ, Eddy Dias da (pseud., Marques Rebêlo), 1907- . Bibliografia de Manuel Antônio de Almeida. Rio de Janeiro, Ministério da Educação e Saúde, Instituto Nacional do Livro, 1951. 188 p.

———. Cenas da vida brasileira. Suites nos. 1 e 2. Rio de Janeiro, O Cruzeiro, 1951. 154 p.
Sketches through the interior of Brazil, especially through Minas Gerais. Suite no. 1 was first published in 1943.

———. Vida e obra de Manuel Antônio de Almeida, por Marques Rebêlo (pseud.). Rio de Janeiro, Instituto Nacional do Livro, 1943. 132 p.
Complete information and biographic documentation on the writer of Memórias de um sargento de milícias.

CUNHA, Euclydes Rodrigues Pimenta da, 1866-1909. Canudos (diário de uma expedição). Intro. by Gilberto Freyre. Rio de Janeiro, J. Olympio, 1939. 186 p.
A posthumous work.

———. Castro Alves e seu tempo. 2a ed. Rio de Janeiro, Grêmio Euclides da Cunha, 1917. 36 p.

————. Contrastes e confrontos. 6a ed., com prefácio de José Sampaio (Bruno), estudo-crítico de Araripe Júnior e noticia biográfica de João Luso. Pôrto, Livr. Chardron, 1934. 300 p. (1st ed., 1907.)

————. Os sertões. Rio de Janeiro, Laemmert, 1902. 1st ed. (Other editions: 5th ed.: Ed. by Afrânio Peixoto. 13th ed.: Rio de Janeiro, P. de Azevedo, 1936. 646 p. 19th ed.: Ed. by Fernando Nery. 1946.)

————. Los Sertones, la tragedia del hombre derrotado por el medio. Buenos Aires, Ed. Claridad, 1942. 452 p. 2nd ed. Trans. from the Portuguese into Spanish by Benjamín de Garay.

CRITICAL REFERENCES: ASSIS, Dilermando de. A tragêdia da piedade. Mentiras e calunias da A vida dramática de Euclides da Cunha. Rio de Janeiro, O Cruzeiro, 1951. 696 p. AZEVEDO, Fernando de. O homem Euclides da Cunha. (In Revista de História, São Paulo, III, 9, jan.-março, 1952; p. 3-30.) DAVID, George B. Novas luzes sôbre Euclides da Cunha. Conferência pronunciada a 12 de setembro de 1945 no Ginásio Padre Antônio Vieira. Rio de Janeiro, 1946. 149 p. FARROS, Francisca de. Alguns aspectos da linguagem de Euclides da Cunha. (In Brasília, V, 1950; p. 29-50.) FREYRE, Gilberto. Actualidade de Euclydes da Cunha. Rio de Janeiro, Casa do Estudante do Brasil, 1941. (2nd ed., Rio, Ed. de C.E.B., 1943. 63 p.) GOLDBERG, Isaac. Brazilian Literature. New York, Alfred A. Knopf, 1922. (Euclydes da Cunha, p. 210-221.) GRAHAM, Robert B. Cunninghame. A Brazilian Mystic, Being the Life and Miracles of Antonio Conselheiro. New York, Dodd, Mead & Co., 1940. 228 p. (The story of Antonio Conselheiro, based upon the account in Os sertões.) LACERDA FILHO. Euclydes da Cunha, sua vida e sua obra. João Pessoa, A União, 1936. 163 p. MARTINS, Wilson. O estilo de Euclides da Cunha. (In Anhembi, ano 2, VIII,

24, nov., 1952; p. 459-476.) OBERLANDER, Mário F. Euclydes da Cunha; apostilas para um ensaio crítico. Rio de Janeiro, Edição Ilustrada, 1925. 93 p. PEREGRINO, Umberto. Vocação de Euclides da Cunha. Interpretações das suas experiências na carreira militar. Rio de Janeiro, Ed. Olympio, 1946. 40 p. PINTO, Pedro A. Os sertões. Vocabulário e notas lexicológicas. Rio de Janeiro, F. Alves, 1930. 315 p. PONTES, Eloy. A vida dramática de Euclydes da Cunha. Rio de Janeiro, J. Olympio, 1938. 342 p. PUTNAM, Samuel. Brazil's Greatest Book. Intro. to American translation of Os sertões: Revolution in the Backlands. Chicago, Univ. of Chicago Press, 1945; p. iii-xviii. RABELO, Sílvio. Euclides da Cunha. Rio de Janeiro, Casa do Estudante do Brasil, 1948. 463 p. TERENCIO, Paulo. Estudos euclydianos, notas para o vocabulário de Os sertões. Rio de Janeiro, B. de Sousa, 1929. 163 p. VALÉRIO, Américo. Euclydes da Cunha. Rio de Janeiro, Aurora, 1934. 226 p. VENÂNCIO FILHO, Francisco. Euclydes da Cunha. Rio de Janeiro, Conselho Nacional de Geografia, Instituto Brasileiro de Geografia e Estatística, 1949. 37 p. An extremely valuable bibliography. ————. Euclydes e seus amigos. São Paulo, Editôra Nacional, 1938. 246 p. Correspondence and other documents. ————. A glória de Euclides da Cunha. São Paulo, Editôra Nacional, 1940. 323 p.

CUNHA, José Maria Leitão da, 1878-1942. Cousas do tempo, por Tristão da Cunha (pseud.). 2a ed. Rio de Janeiro, Schmidt, 1935. 292 p. (1st ed., 1922.)

Articles on Brazilian literature, first published in the Mercure de France.

DIAS, Antônio Gonçalves de, 1823-1864. Obras póstumas de . . . precedidas de uma noticia da sua vida e obra pelo dr. Antônio Henrique Leal. São Luís do Maranhão, 1868. 6 v.

See Vol. III. Fragmentos filosóficos, trechos de um romance inacabado, notas de viagem, artigos históricos; and Vol. VI. Brasil e Oceânia, memória apresentada ao Instituto Histórico e Geográfico Brasileiro.

EÇA, Mathias Ayres Ramos da Silva d', 1705-1768? Reflexões sobre a vaidade dos homens, ou discursos moraes sobre os efeitos da vaidade offerecidos a el rey Nosso Senhor D. Joseph I. Lisboa, Na Officina de Francisco Luís Ameno, 1752. (Edição facsimilar de J. Leite e Cia. Rio de Janeiro, n.d. [1921].)

———, ———. Ed. by Livr. Martins, São Paulo, 1942; with pref. by Alceu Amoroso Lima.

———. ———. Ed. Rio de Janeiro, 7. Valverde, 1948. Pref. by Mário Lôbo Leal; p. x-xviii.

FARIA, Octavio de, 1908- . Machiavel e o Brasil. Rio de Janeiro, Schmidt, 1931. 247 p.

FERNANDES, João Baptista Ribeiro de Andrade, 1860-1934. Cartas devolvidas, por João Ribeiro. Pôrto, Livr. Chardron, 1926. 270 p.
Other works: Páginas de estética, 1905; Frases feitas, 1908; Fabordão, 1910; Folclore, 1919; Notas de um estudante, 1922; Colmeia, 1923; Floresta de exemplos, 1931; Goethe, 1932; A língua nacional, 1933.

FERNANDES, Sebastião. Figuras e legendas. Rio de Janeiro, Pongetti, 1946. Essays of literary quality covering a wide range of topics.

FONSECA, Aníbal Freire da. Alocuções. Rio de Janeiro, Imprensa Nacional, 1948. 80 p.
Collection of speeches by one of Brazil's greatest orators.

FONSECA, Mariano José Pereira da, Marquês de Maricá, 1773-1848. Máximas, pensamentos e reflexões do Marquês de Maricá, publicados em 1846. Ed. rev. e pref. pelo prof. Alfredo Gomes. São Paulo, Ed. e Pub. Brasil, 1940. 441 p. (1st ed., 1837-1841.)

FREIRE, Laudelino de Oliveira, 1873-1937. Clásicos brasileiros; breves notas para a história da literatura filológica nacional. Rio de Janeiro, Ed. da Revista da Língua Portuguêsa, 1923. 262 p.

Other works: Ensaios de moral, 1908; Notas e perfís, 1926-1930, 10 v.; Graças e galas da linguagem, 1931.

FREITAS, Newton. Ensayos americanos (crítica literaria). Buenos Aires, Schapiro (1942).
Studies of Lima Barreto, Gregorio de Mattos, Gilberto Freyre, and several Spanish American authors.

FREITAS, Otavio de (júnior). Ensaios de crítica de poesia; com prefácio de Gilberto Freyre. Recife, Imprensa Industrial, 1941. 168 p.

FREYRE, Gilberto de Mello, 1900- . Actualidade de Euclydes da Cunha. 2nd ed. Rio de Janeiro, Casa do Estudante do Brasil, 1943. 63 p.

———. Artigos de jornal. Prefácio de Luís Jardim. Recife, Edições Mozart, 1935? 184 p.

———. O camarada Whitman. Conferência lida na Sociedade dos Amigos da América, do Rio de Janeiro, em 22 de Maio de 1947, precedida de uma saudação a Gilberto Freyre por Arnon de Melo. Rio de Janeiro, J. Olympio, 1948. 63 p.

———. Casa grande e senzala. Formação da família brasileira sob o regime de economia patriarcal. 6th ed., rev. pelo autor e acrescida de numerosas notas. Illustrações de Thomaz Santa Rosa. Rio de Janeiro, J. Olympio, 1950. (1st ed., Rio, 1933.)
The most complete work on the origins of Brazilian society, studying the formation of the family during slavery, with an exhaustive bibliography on the subject.

———. Continente e ilha; conferência lida no salão de conferências da Biblioteca do Sul, no dia 19 de novembro de 1940. Rio de Janeiro, Casa do Estudante do Brasil, 1943. 69 p.

———. Uma cultura ameaçada: a luso-brasileira. 2a ed. 9. milheiro. Rio de Janeiro, Casa do Estudante do Brasil, 1942. 103 p.

———. Inglêses no Brasil; aspectos da influencia britânica sôbre a vida, a paisagem e a cultura do Brasil. Prefácio de Octavio Tarquinio de Sousa, vinhetas de Rosa Maria, 14 ilus. fora do texto e um mapa de Luís Jardim. Rio de Janeiro, J. Olympio, 1948. 349 p.

————. Interpretação do Brasil, aspectos da formação social brasileira como processo de amalgamento de raças e culturas. Intro. e tradução de Olívio Montenegro. Rio de Janeiro, J. Olympio, 1947. 323 p. First written in English in 1945.

————. O mundo que o português criou; aspectos das relações sociães e de cultura do Brasil com Portugal e as colonias portuguêsas. Prefácio de Antônio Sérgio. Rio de Janeiro, J. Olympio, 1940. 164 p.

————. Perfil de Euclydes e outros perfís, com desenhos de Cândido Portinari e Thomaz Santa Rosa. Rio de Janeiro, J. Olympio, 1944. 233 p.
NOTE: Freyre is treated here only as he affects the general culture of Brazil and, therefore, its literature.

CRITICAL REFERENCES: ANDRADE, Almir de. Aspectos da cultura brasileira. Rio de Janeiro, Schmidt, 1939. (Os novos estudos sociais no Brasil, p. 35-79.) ANSELMO, Manuel. Família literária luso-brasileira. Rio de Janeiro, J. Olympio, 1943. (Gilberto Freyre e a cultura luso-brasileira, p. 133-139.) SODRÉ, Nelson Werneck. Orientação do Pensamento Brasileiro. Rio de Janeiro, Vecchi, 1942. (Gilberto Freyre, p. 43-58.)

FRIEIRO, Eduardo. A ilusão literária. Belo Horizonte, Os Amigos do Livro, 1932. 246 p. Criticism.

————. Letras mineiras. Belo Horizonte, Os Amigos do Livro, 1937. 287 p. Literary studies.

FUSCO, Rosário, 1910- . Vida literária. São Paulo, Ed. SEP, 1940. 274 p. Literary criticism.
Other works: Poemas cronológicos, 1928; Política e letras, 1940; Prose Fiction: O agressor, 1943; and O livro de João, 1944.

GOMES, Antônio Osmar. Compreensão de humanismo. Rio de Janeiro, Z. Valverde, 1943.
Essays on Catholic social philosophy.

GOMES, Eugênio, 1897- . Espelho contra espelho. São Paulo, Instituto Progresso Editorial, 1949. 251 p.
Comparative literature: English and Brazilian. Other works: (poetry) Moema, 1928; (criticism) D. H. Lawrence e outros, 1937.

GRIECO, Agrippino, 1888- . Gente nova do Brasil. Veteranos. Alguns mortos. 2a ed. revista. Rio de Janeiro, J. Olympio, 1948. 312 p. (1st ed., 1935.)
Dealing with works which appeared in 1931-1935.

————. Zeros à esquerda. Rio de Janeiro, J. Olympio (Obras completas, 10), 1947. 282 p.
Other works: Vivos e mortos, 1931; Evolução da poesia brasileira, 1932; Evolução da prosa brasileira, 1933; Carcassas gloriosas, 1937; etc.

HOLLANDA, Sérgio Buarque de. Raizes do Brasil; prefácio de Gilberto Freyre. Rio de Janeiro, J. Olympio, 1936. 176 p.

JORGE, Artur Guimarães de Araújo, 1884- . Ensaios de história e crítica. Rio de Janeiro, Imprensa Nacional, 1916. 258 p.
Also: História diplomática do Brasil-República, 1909.

KARPFEU, Otto Maria (pseud., Carpeaux, Otto Maria). A Cinza do purgatório. Rio de Janeiro, Casa do Estudante do Brasil, 1942. 352 p.
Criticism, Brazilian and foreign. Austrian-born, now Brazilian citizen, Carpeaux knows all literatures old and modern, and is a critic, bibliographer, philosopher, and an artist.

LAET, Carlos Pimenta de, 1847-1927. Em Minas; viagens, literatura, filosofia. Rio de Janeiro, Cunha e Irmão, 1894. 355 p.
Also: A imprensa, 1899, 1902; Minha história sagrada, 1906.

LEAL, Antônio Henriques. Panteon maranhense: ensaios biográficos dos maranhenses ilustres já falecidos. Lisboa, Imprensa Nacional, 1873/1875.

Biographies of Manuel Odorico Mendes, Francisco Sotero dos Reis, Joaquim Gomes de Sousa, João Duarte Lisboa Serra, Trajano Galvão de Carvalho, Belarmino de Matos, Francisco José Furtado, Antônio Gonçalves, João Francisco Lisboa, and others.

LEÃO, Mucio Carneiro, 1898- . Ensaios contemporâneos. Rio de Janeiro, Ed. da Revista da Língua Portuguêsa, 1923. 199 p.
Essays on culture and literature.
Other works: (poetry) Os paises inexistentes, 1941; (prose fiction) A promessa inútil, 1928; No fim de caminho, 1929; Castigada, 1934.

LEMOS, Miguel, 1854-1916. Luis de Camoens: essai historique. 2a ed. Rio de Janeiro, Bernard frères, 1924. 297 p. (1st ed., 1881.)

LESSA, Pedro Augusto Carneiro, 1851-1921. Discursos e conferências. Rio de Janeiro, Tip. Jornal do Comércio, de Rodrigues e C., 1916. 262 p.
See especially addresses on João Francisco Lisboa and Francisco Adolfo de Varnhagen.

LIMA, Alceu Amoroso, 1893- . (Pseud., Tristão de Athayde.) Affonso Arinos. Rio de Janeiro, Anuário do Brasil, 1922. xxii, 197 p.
Lima was the critic of pre-Modernism, of Modernism, and later of the Catholic Social Movement. His influence on Brazilian literature has been immeasurable.

———. Contribução a história do modernismo. I. O premodernismo. São Paulo, J. Olympio, 1939. 273 p.

———. O crítico literário. Rio de Janeiro, Ed. Agir, 1945. 285 p.

———. Estética literária. Rio de Janeiro (Col. Joaquim Nabuco, no. 4), 1945. 250 p.

———. Estudos. Rio de Janeiro, 1927-1933. 6 v.
Essays on literary criticism, philosophy, religion, ethics, sociology, education, and politics.

———. Humanismo pedagógico. Rio de Janeiro, Stela Ed., 1944. 328 p.
Criticism.

———. Idade, sexo e tempo (três aspectos da psicologia humana). 6 ed. Rio de Janeiro, Agir, 1929. 205 p.

———. A igreja e o novo mundo. Problemas de cultura contemporânea. Rio de Janeiro, Z. Valverde, 1943. xv, 194 p.

———. Manhãs de São Lourenço. Rio de Janeiro, Ed. Agir, 1950. 242 p.
Sketches of country life.

———. Pela cristianização da idade nova. Primeiro volume. Teoria. Rio de Janeiro, Ed. Agir, 1946. 265 p.
The neo-Thomist exponent of Christian Humanism sets forth his views on Christianity's task.

———. Primeiros estudos. Rio de Janeiro, Ed. Agir, 1948.

———. Poesia brasileira contemporânea. Belo Horizonte, Paulo Bluhm, 1940.

CRITICAL REFERENCES: ANDRADE, Mário. Aspectos da literatura brasileira. Rio de Janeiro, Americ. Edit., 1943. (Tristão Athayde, p. 15-40.) A very critical study. CANABRAVA, Euryalo. Tristão de Athayde, escritor. (In Cadernos da Hora Presente, no. 9, julho-agôsto de 1940; p. 165-168.) CARVALHO, Ronald de. Estudos brasileiros. 2a série. Rio de Janeiro, Briguiet, 1931. (Tristão de Ataíde, p. 109-122.) GRIECO, Agrippino. Caçadores de símbolos. Rio de Janeiro, Leite Ribeiro, 1933. (Tristão de Ataíde, p, 137-164.) ———. Evolução da prosa brasileira, 1933. (2nd ed., Rio de Janeiro, Olympio, 1947; p. 253-260.) MORAIS, Carlos Dante de. Tristão de Athayde e outros estudos. Pôrto Alegre, Globo, 1937; p. 7-60. O'NEILL, Ancilla. Tristão de Athayde and the Catholic Social Movement in Brazil. Washington, The Catholic University of America, 1939. 156 p.

LIMA, Hermes, 1902- . Tobias Barreto; a época e o homem. São Paulo, Editôra Nacional, 1939.
Other works: Problemas de nosso tempo, 1935.

LIMA, Jorge de, 1895- . Anchieta. Rio de Janeiro, Civilização Brasileira, 1934. 211 p.

———. Dois ensaios. Maceió, Alagoas, Brasil, Casa Ramalho, 1929. 138 p.
Contents: Proust, Todos cantam sua terra.

————. D. Vital. Rio de Janeiro, Agir, 1945. 96 p.
See section on Novel for critical references.

LIMA, Manuel de Oliveira, 1867-1928. Aspectos da literatura colonial brasileira. Leipzig, Brockhaus, 1896. 301 p.

————. Memórias. Rio de Janeiro, J. Olympio, 1937.

CRITICAL REFERENCE: GOLDBERG, Isaac. Brazilian Literature. New York, Alfred A. Knopf, 1922. (Oliveira Lima, p. 222-233.)

LIMA, Raimundo Antônio da Rocha, 1855-1878. Crítica e literatura. Prefácio de João Capistrano de Abreu. Maranhão, Tip. do País, 1878. 182 p. (2nd ed., 1913.)

LINS, Álvaro de Barros. Rio-Branco. O Barão do Rio-Branco, 1845-1912. Rio de Janeiro, Olympio, 1945. 2 v. 808 p.
Biography that won the Pandiá Calogeras prize.

————. Jornal de crítica. Rio de Janeiro, J. Olympio, 1941 (1a série) e 1943 (2a série). 2 v.
Articles on literary criticism written during 1940 to 1942 and previously published in newspapers.

————. Jornal de crítica. 6. série. Rio de Janeiro, J. Olympio, 1951. 316 p.
Criticism corresponding to years 1947-1948.

————. Jornal de crítica. Quarta série. Com um estudo de Tristão de Athayde. Rio de Janeiro, J. Olympio, 1946. 338 p.

LINS, Ivan. Descartes; época, vida e obra; pref. de Roquette Pinto. Rio de Janeiro, Emiel Ed., 1940. 595 p. illus.

LISBOA, João Francisco, 1812-1863. Obras escolhidas. Seleção e prefácio de Octavio Tarquinio de Sousa. Rio de Janeiro (Col. Joaquim Nabuco, no. 5), 1946. 2 v.: 249, 287 p.
"Essayist and biographer, Lisboa is one of Brazil's truly classic writers and finest prosateurs."—Putnam.

————. Obras completas. 2a ed., por Teófilo Braga. Lisboa, Matos Moreira e Pinheiro, 1901. 2 v.

CRITICAL REFERENCE: CORRÊA, Frederico José. Um livro de crítica. São Luís do Maranhão, Tip. do Frias, 1878; p. 177-203. Versus the praise of Antônio Henriques Leal.

LOBATO, José Bento Monteiro. Prefácios e entrevistas. Prefácio de Marina de Andrada Procópio de Carvalho. São Paulo, Ed. Brasiliense, 1946. 319 p.
Lobato wrote many prefaces.

————. A barca de Gleyre. Quarenta anos de correspondência literária entre Monteiro e Godofredo Rangel. Segundo tomo. São Paulo, Ed. Brasiliense, 1946. 360 p.

MACHADO, Antônio de Alcântara, 1901-1935. Cavaquinho e saxofone. Rio de Janeiro, J. Olympio, 1940.
Posthumous collection of Machado's writings on Modernismo.

MADRE DE DEUS, Gaspar da, frei, 1715-1800. Lições de filosofia, professadas no Rio de Janeiro, em 1748, por Frei Gaspar da Madre de Deus. 2 v.
Also: Memórias para a história da capitania de São Vicente, 1797.

MAGALHÃES, Antônio Valentim da Costa, 1859-1903. Bric-a-brac. Rio de Janeiro, Laemmert, 1893. 288 p. Sketches.

————. Escriptores e escriptos. Rio de Janeiro, C. G. da Silva, 1889.

————. ————. 2d ed. Rio de Janeiro, Tip. Domingos de Magalhães, 1894. 205 p.

————. A literatura brasileira, 1870-1895. Notícia crítica dos principães escriptores, documentada com escolhidos excerptos de suas obras, em prosa e verso. Lisboa, Antônio Maria Pereira, 1896. 300, vii p.

MAGALHÃES, Domingos José Gonçalves de, Visconde de Araguaya, 1811-1882. Comentários e pensamentos. Rio de Janeiro, B. L. Garnier, 1880. 164 p.

————. Ensaio sôbre a história da literatura do Brasil. 1836. (In Nitheroy, t. I; p. 132-159.)

———. Fatos do espírito humano: filosofia. Rio de Janeiro, Garnier, 1865. 401 p. (1st ed., Paris, 1858.)

MARQUES, Francisco Xavier Ferreira, 1861-1943. Vida de Castro Alves. 2a ed. Rio de Janeiro, Anuário do Brasil (1924). 262 p.
Other works: A arte de escrever, 1913; Ensaio histórico sôbre a Independência, 1924; Cultura da língua nacional, 1933; Letras acadêmicas, 1933.
See also section on Novel.

MARTINS, Jackson de Figueiredo, 1891-1928. Alvum. Rio de Janeiro, Centro D. Vital, 1930.
Founder of the Centro D. Vital and the review A Ordem, Jackson de Figueiredo, with Alceu Amoroso Lima, is the founder of the Catholic Social Movement in Brazil.

———. Coluna de Fogo. Rio de Janeiro, Centro D. Vital, 1925.

———. Correspondência; com um estudo de Tristão de Ataíde e uma introdução de Barreto Filho. Rio de Janeiro, ABC (1938). Ed., Rio, 1946.
Correspondence between author and Alceu Amoroso Lima (Tristão de Ataíde), 1919-1928. Other works: Algumas reflexões sôbre a filosofia de Farias Brito, 1916; Humilhados e luminosos (crítica literária, 1921); Afirmações (crítica literária, 1924); A reação de bom senso, 1922; and A coluna do fogo, 1925. The last two contain a political polemic.

———. Pascal e a inquietação moderna. Rio de Janeiro, Centro D. Vital, 1924.

CRITICAL REFERENCES: ATHAYDE, Tristão de. Estudos 3a série. 2a parte. Rio de Janeiro, A Ordem, 1930. (Um realista, p. 255-270.) SILVEIRA, Tasso da. Jackson de Figueiredo. Rio de Janeiro, Agir, 1945. 44 p.

MATOS, Eusebio de, frei, 1629-1692. Oração funebre nas exequias do illmo. e revmo. snr. D. Estevam dos Sanctos, bispo do Brasil, celebradas a 14 de julho de 1672. Lisboa, por Miguel Rodrigues, 1735. 54 p.

———. Ecce Homo. Praticas prégadas no collegio da Bahia às sextas feiras à noute, mostrandose em todas o "Ecce Homo." Lisboa, por João da Costa, 1677. iv, 75 p.

———. Sermões do P. M. Fr. Eusebio de Mattos, religioso de N. S. do Carmo da provincia do Brasil. Parte I, que contem quinze sermões. Lisboa, por Miguel Manescal, 1694. xxiv, 410 p.

———. Sermão da soledade e lagrimas de Maria Sanctissima, prégado na sé da Bahia. Lisboa, por Miguel Manescal, 1681. 23 p.

MAYA, Alcides Castilhos, 1878-1944. Crônicas e ensaios. Pôrto Alegre, Barcellos, Bertaso e Cia., 1918. 280 p.

———. Machado de Assis: algumas notas sôbre o "humour." Rio de Janeiro, Academia Brasileira de Letras, 1942. 162 p. (1st ed., 1912.)
Other works: O gaucho na legenda e na história, 1899; Através da imprensa, 1900; Romanticismo e naturalismo, 1926.

MENDES, Oscar. Papini, Pirandello e outros. Belo Horizonte, Paulo Bluhm, 1941. 153 p.
Also: A alma dos livros.

MENDONÇA, Carlos Süssekind de. Sílvio Romero: sua formação intelectual (1851-1880). São Paulo, Editôra Nacional, 1938. 342 p.
First volume of a biography of Romero in collaboration with Sílvio Romero Filho.

MENEZES, Tobias Barreto de, 1839-1889. Ensaios e estudos de filosofia e crítica. 2nd ed. Pernambuco, Ed. José Nogueira de Souza, 1889. 191 p.

———. Obras completas. Edição do Estado de Sergipe, 1925-1926. 10 v.
Contents: 1. Poesias: Dias e Noites; 2. Polêmicas; 3. Filosofia e crítica; 4. Discursos; 5. Menores e loucos; 6. Estudos de direito; 8. Estudos alemães; 9. Questões vigentes; 10. Vários escritos.

CRITICAL REFERENCES: AMADO, Gilberto. Tobias Barreto. Rio de Janeiro, Ariel, 1934. 52 p. BEVILAQUA, Clóvis. Juristas filosófos. Bahia, Livr. Magalhães, 1897; p. 107-130. CARVALHO, José Sebrão de. Tobias Barreto, o desconhecido; gênio e desgraça. Aracaju, Imprensa Oficial, 1941. 334 p. LIMA, Hermes. Tobias Barreto. A época e o homem. São Paulo, Editôra Nacional,

1939. 350 p. LIRA, Roberto. Tobias Barreto, o homem-pêndulo. Rio de Janeiro, Companhia Ed. Coelho Rodrigues, 1937. 91 p. MONT'ALEGRE, Omer. Tobias Barreto. Rio de Janeiro, Vecchi Editôra, 1939. 326 p. PEREIRA, Virgílio de Sá. Tobias Barreto. Rio de Janeiro, Revista dos Tribunais, 1917. 109 p. ROMERO, Nélson. Tobias Barreto. Rio de Janeiro, O Globo, 1943. 29 p. ROMERO, Sílvio. Evolução da literatura brasileira. Campanha, 1905. (Da prioridade de Tobias Barreto na renovação de vários aspectos espirituais do Brasil, p. 113-135.) ————. História da literatura brasileira. 3rd ed. Rio de Janeiro, J. Olympio, 1943. V. IV. (Sexta e última fase do romanticismo: o condoreirismo de Tobias Barreto; p. 133-242.) VIEIRA, Celso. Tobias Barreto, 1839-1939. Rio de Janeiro, Bedeschi, 1939. 84 p.

MENEZES, Djacir Lima. O problema da realidade objetiva: crítica às tendências idealistas da filosofia moderna. Fortaleza, Ceará, Tip. Gadelha, 1932. 140 p.

MEYER, Augusto, 1902- . Prosa dos pagos. São Paulo, Martins, 1943.
Seven essays on "sul-riograndense" themes and a bibliography on "gaúcho" regionalism. See Poetry entries for critical references.

————. Machado de Assis. Pôrto Alegre, Globo, 1935. 114 p.

————. A sombra da estante. Rio de Janeiro, Olympio, 1947. 257 p.
Essays discussing Machado de Assis, Gobineau, Dostoevski, and Américo Castro.

MIRANDA, Francisco Cavalcanti Pontes de. O problema fundamental do conhecimento. Pôrto Alegre, Globo, 1937. 246 p.

MONTE ALVERNE, Francisco de, frei (properly Francisco José Carvalho), 1784-1859. Compêndio de filosofia. Rio de Janeiro, 1858.

————. Obras oratorias do. . . . Rio de Janeiro, E. e H. Laemmert, 1853. 2 v.

One of the best examples of the "Classic Style" in Brazil.

————. Obras oratorias. . . . Precedidas da biographia e juizo critico do sr. Antonio Feliciano de Castillo. Pôrto, Tip. da Livr. Nacional, 1867. 4 v.

————. Trabalhos oratorios e literarios, colligidos por Camara Bittencourt (Raymundo). Rio de Janeiro, E. e H. Laemmert, 1863. 90 p.

CRITICAL REFERENCES: MAGALHÃES, Domingos Gonçalves de. Biografia do padre-mestre Frei Francisco de Monte Alverne. (In Revista do Instituto Histórico e Geográfico Brasileiro, XLVI, 2, 1882; p. 391-404.) Written in 1859. MENDONÇA, Yolanda. Frei Francisco de Monte Alverne, esteta da palavra. Rio de Janeiro, Antunes, 1942. 85 p.

MONTENEGRO, Olívio Bezerra. O romance brasileiro: as suas origenes e tendências; prefácio de Gilberto Freyre. Rio de Janeiro, J. Olympio, 1938. 191 p.
A highly controversial book.

MOOG, Clodomir Viana, 1906- . Eça de Quiroz e o século XX. 2a ed. Pôrto Alegre, Globo, 1939. 356 p. (1st ed., 1938.)
Other works: Heróis da decadência. Reflexões sôbre o humour (1a ed. em 1934; 2a em 1939); Uma interpretação da literatura brasileira, 1943.

MOTTA, Arthur, 1879-1936. História da literatura brasileira. São Paulo, Editôra Nacional, 1930. 2 v.
Literary history of Brazil up to and including the 18th century.

————. Vultos e livros. Academia brasileira de letras. 1a série. São Paulo, Monteiro Lobato, 1931. 285 p.

MURICY, José Cândido de Andrade. A nova literatura brasileira: crítica e antologia. Pôrto Alegre, Globo, 1936. 425 p.
Other works: O suave convívio, 1922.

NOBREGA, Manoel da, S.J., 1519-1570. Cartas do Brasil (1549-1560). Rio de Janeiro, Oficina Industrial Gráfica, 1931. 258 p.

NUNES, Cassiano. O lusitanismo, de Eça de Queirós. Rio de Janeiro, CEB, 1947. 60 p.
This work won the Prêmio Antônio Pousada.

NUNES, Feliciano Joaquim de Souza 1734-1808. Discursos político-morais Rio de Janeiro, Oficina Industrial Grá- fica, 1931. 247 p.
Reedição feita pela Academia Brasileira de Letras, na Biblioteca de Cultura Nacional, se- gundo o texto da la edição supressa por ordem do Marquês de Pombal em 1758.
Biography of author by Alberto de Oliveira.

OLIVEIRA, Antônio Mariano Alberto de, 1859-1937. O culto da forma na poe- sia brasileira; conferência. São Paulo, Tip. Levi, 1916. 30 p.

————. O soneto Brasileiro; conferência preferida na Biblioteca Nacional, em 23 de setembro de 1918. Rio de Ja- neiro, 1920. 18 p.

OLIVEIRA, José de Alcântara Machado de, 1871-1941. Alocuções acadêmicas. Rio de Janeiro, Livr. J. Olympio, 1941. 157 p.
Academic praise on the following writers: Thomaz Antônio Gonzaga, Luís Guimarães Júnior, Pedro Luís, Joaquim Nabuco, Silva Ramos, João Ribeiro, Paulo Setúbal, and others. Other criticism: Gonçalves Magalhães, ou o romântico arrependido, 1936.

OLIVEIRA, Ruy Barbosa de, 1849-1922. Cartas políticas e literárias. Bahia, Livr. Catilina, 1919.

————. Oração aos moços. São Paulo, O Livro, 1920.

————. Páginas literárias. Bahia, Livr. Catilina, 1918.

————. Obras completas. Edit. pela Casa de Ruy Barbosa, sob a orientação de Américo Jacobina Lacomba. 30 v. publicados, a partir de 1943.

CRITICAL REFERENCES: ALBUQUERQUE, Tenório d'. A linguagem de Ruy Barbosa. Rio de Janeiro, Schmidt, 1939. 212 p. BARBOSA, Mário de Lima. Ruy Barbosa na política e na literatura, 1849-1914. Rio de Janeiro, Briguiet, 1916. 420 p. CARDOSO, Clodomir. Ruy Barbosa, a sua integridade moral e a

unidade da sua obra. Rio de Janeiro, Revista da Língua Portuguêsa, 1926. 345 p. FONTENELLE. Rui e o verná- culo. São Paulo, Editôra Jornal dos Livros, 1949. 111 p. MANGABEIRA, João. Rui, estadista da república. Rio de Janeiro, J. Olympio, 1943. 432 p. MEIRELES, Cecília. Ruy, pequena his- tória de uma grande vida. 2nd ed. Rio de Janeiro, Livros de Portugal, 1949. 92 p. MELO, Gladstone Chaves de. A língua e o estilo de Rui Barbosa. Rio de Janeiro, Organização Simões, 1950. 52 p. MENEZES, Nazareth. Ruy Barbosa, sua vida e sua obra. Rio de Janeiro, Casa David, 1915. 357 p. NERY, Fernando. Ruy Barbosa. Rio de Janeiro, 1932. 282 p. (Life and bibliography.) PEREIRA, Antônio Ba- tista. Ruy Barbosa. Catálogo das obras. Rio de Janeiro, s.e., 1929. 226 p. PIRES, Homero. Ruy Barbosa, es- critor e orador. Bahia, Imprensa Oficial, 1922. 43 p. POMPEU, A. Ruy e Nabuco. São Paulo, Revista dos Tri- bunais, 1930. 134 p. TURNER, Charles William. Ruy Barbosa, Brazilian Cru- sader for the Essential Freedoms. New York, Abingdon - Cokesbury Press, 1945. 208 p. VIANA FILHO, Luiz. A vida de Rui Barbosa. 2nd ed. São Paulo, Editôra Nacional, 1943. 301 p.

PEIXOTO, Julio Afrânio, 1876- . Cas- tro Alves: o poeta e o poema. São Paulo, Editôra Nacional, 1942. 344 p. (1st ed., 1922.)
Other works: Poeira da estrada, 1920; Ramo de Louro, 1928; Ensaios camonianos, 1932; etc.

CRITICAL REFERENCE: BATISTA, Raul. Afrânio Peixoto. (*In* Arquivos, I, 1942-1952; p. 219-236.)

PEREGRINO, João da Rocha Fagundes (júnior), 1902- . Doença e con- stituição de Machado de Assis. Rio de Janeiro, J. Olympio, 1938. 164 p.

PEREIRA, Astrojildo. Interpretações. Rio de Janeiro, Casa do Estudante do Bra- sil, 1944. 301 p.
A collection of his critical essays (1929-1944) defining the responsibility of the artist and intellectual to the masses.

PEREIRA, Lafayette Rodrigues, 1834-1917. Vindiciae; o sr. Sylvio Romero crítico e filósofo, por Labieno (pseud.). Prefácio de Mário Matos. Rio de Janeiro, J. Olympio, 1940. 171 p.
Polemic in defense of Machado de Assis vs. Sílvio Romero; criticism of Ensaios de Filosofia do Direito by Sílvio Romero.

PEREIRA, Lúcia Miguel. Machado de Assis: estudo crítico e biográfico. São Paulo, Editôra Nacional, 1936. 342 p.
One of the best critical and biographical studies on Machado de Assis.

————. A vida de Gonçalves Dias contendo o Diário inédito da viagem de Gonçalves Dias ao Rio Negro. Rio de Janeiro, J. Olympio, 1943. 424 p.
Considered not only one of the best works on Gonçalves Dias, but also one of the best critical works written by a Brazilian.

PEREIRA, Nuno Marques, 1652-1728. Compêndio narrativo da América. 6a ed. completada com a segunda parte, até agora inédita. Rio de Janeiro, Pub. Academia Brasileira de Letras, 1939. 2 v. (1st ed., 1725.)
Sometimes called the first Brazilian novel.

————. Compêndio narrativo do peregrino da América, em que se tratam varios discursos espirituaes, e moraes, com muitas advertencias, e documentos contra os abusos, que se achãn no estado do Brasil. Primeyra parte. Lisboa Occidental, na Offic. de Manoel Fernandes da Costa, anno de MDCC-XXXI. 40 unnumb. p., 476 p.

PESSOA, José Getulio Frota, 1875-   . Crítica e polêmica. Rio de Janeiro, Artur Gurgulino, 1902. 295 p.
About a hundred pages on the literary evolution of Brazil, followed by a series of articles of a polemical nature on books and literary aspects of the period.

PONTES, Carlos. Tavares Bastos. (Aureliano Cândido)— (1839-1875). São Paulo, Editôra Nacional, 1939. 360 p.
Literary and political biography of one of the most representative men of the Second Empire.

PONTES, Eloy, 1888-   . A vida inquieta de Raúl Pompéia. Rio de Janeiro, J. Olympio, 1935. 338 p.

Also: A vida dramática de Euclides da Cunha, 1938; and A vida contraditória de Machado de Assis, 1939.

PRADO, Paulo da Silva, 1869-1943. Retrato do Brasil; ensaio sôbre a tristeza brasileira. São Paulo, Dupre-Mayença (reunidas), 1928. 216 p.
Contents: 1. A luxuria; 2. A cubiça; 3. A tristeza; 4. O romantismo.

————. ————. 4th ed. Rio de Janeiro, Briguiet, 1931.

————. ————. 5th ed. São Paulo, Brasiliense, 1944.
A highly discussed Brazilian book in the forties.

CRITICAL REFERENCES: GRIECO, Agrippino. Evolução da prosa brasileira. 1933. (2a ed. Rio de Janeiro, J. Olympio, 1947; p. 263-265.) LIMA, Alceu Amoroso. Estudos, 3rd series. 2nd part. Rio de Janeiro, A Ordem, 1930. (Retrato ou caricatura?; p. 175-190.)

PRISCO, Francisco. José Veríssimo: sua vida e suas obras. Rio de Janeiro, Ed. Bedeschi, 1937. 192 p.
A useful study.

RAMALHETE, Clovis. Eça de Quirós. São Paulo, Martins, 1942. 263 p.
Prize winner of the Brazilian Academy of Letters.

REGO, Costa. Águas passadas. Prefácio de Aurélio Buarque de Hollanda Ferreira. Rio de Janeiro, Olympio, 1952. 410 p.
Articles on political and literary subjects.

REIS, Antônio Simões dos. Eça de Queirós no Brasil. I. Bibliografia Brasileira. Rio de Janeiro, Valverde, 1945. 103 p.

RESENDE, Henrique de, 1899-   . Retrato de Alfonsus de Guimaraens. Rio de Janeiro, J. Olympio, 1938. 133 p.
Study of a poet by another poet.

RIBEIRO, João. Obras. Crítica. v. I. Clássicos e románticos brasileiros. Organização, prefácio e notas de Mucio Leão. Rio de Janeiro, Academia Brasileira de Letras, 1952. 280 p.
Short notices of books published.

RIBEIRO, Júlio César, 1845-1890. Cartas sertanejas. Rio de Janeiro, Faro e Nunes, 1885. 132 p.
First published in the Diário Mercantil from February to July, 1885.

ROMERO, Nélson. Os grandes problemas do espírito. Rio de Janeiro, J. Olympio, 1939. 251 p.

ROMERO, Sílvio Vasconcelos da Silveira Ramos, 1851-1914. A América Latina. Análise do livro de igual título do Dr. Manuel Bomfim. Pôrto Alegre, Livr. Chardron, 1906. 361 p.

――――. Cantos populares do Brasil, coligidos pelo Dr. Sílvio Romero . . . acompanhados de introdução e notas comparativas por Teófilo Braga. . . . Lisboa, Nova Livr. Internacional, 1883. 2 v.

――――. Contos populares do Brasil. 5a ed. melhorada. Rio de Janeiro, F. Alves, 1911. xxxi, 359 p. (1st ed., Lisboa, Nova Livr. Internacional, 1885. xxxvi, 235 p.)

――――. Discursos. Pôrto Alegre, Livr. Chardron, 1904. xvii, 316 p.

――――. Ensaios de sociologia e literatura. Rio de Janeiro, Garnier, 1901. 295 p.

――――. Estudos de literatura contemporânea. Rio de Janeiro, Laemmert, 1885. 290 p.

――――. Estudos sôbre a poesia popular no Brasil (1879-1880). Rio de Janeiro, Laemmert, 1888. 368 p.

――――. Evolução da literatura brasileira. Campanha, 1905. 150 p.

――――. Evolução do lirismo brasileiro. Recife, 1905. 201 p.

――――. História da literatura brasileira. 3a ed. Rio de Janeiro, J. Olympio, 1943. 5 v.: 337, 370, 385, 358, and 431 p.

――――. A literatura brasileira e a crítica moderna. Rio de Janeiro, Imprensa

Industrial de João Paulo Ferreira Dias, 1880. 206 p.

――――. Machado de Assis. 2a ed. Rio de Janeiro, 1936. 156 p. (1st ed., Rio, 1897.)

――――. Minhas contradições. Bahia, Livr. Catilina, 1914. xviii, 204 p.

――――. O naturalismo em literatura. São Paulo, 1882.

――――. Novos estudos de literatura contemporânea. Rio de Janeiro, Garnier, 1899. 305 p.

――――. Outros estudos de literatura contemporânea. Lisboa, Tip. de A. Editôra, 1906. 235 p.

CRITICAL REFERENCES: BEVILAQUA, Clóvis. Sílvio Romero. Lisboa, A. Editôra, 1905. 42 p. GUIMARÃES, Artur. Sílvio Romero de perfil. Rio de Janeiro, 1915. MENDONÇA, Carlos Süssekind de. Sílvio Romero, sua formação intelectual. São Paulo, Editôra Nacional, 1938. 342 p. (For complete bibliography see: p. 307-339.) ORLANDO, Artur, Ensaios de crítica. Recife, Empresa Diário de Pernambuco, 1904. 381 p. (Sílvio Romero, p. 145-193.) RABELO, Sílvio. Itinerário de Sílvio Romero. Rio de Janeiro, J. Olympio, 1944. 260 p. (Definitive biography with bibliography, p. 255-260.) REIS, Antônio Simões dos. Bibliografia da História da literatura brasileira de Sylvio Romero. Rio de Janeiro, Z. Valverde, 1944. Tomo I, v. I. 305 p. (Comparison of different editions of Romero; biographical and bibliographical notes on F. Wolf, Bouterwek, Simonde de Sismondi, F. Denis, and others whom Romero quotes.) VÍTOR, d'Almeida. Sílvio Romero. Rio de Janeiro, Minerva, 1952. 54 p.

SÁ, Padre Antônio de, 1620-1678. De venerabile patre Joanne de Almeida oratio. Lisboa, 1658.

――――. Sermão de N. S. das Maravilhas, prégado na sé da Bahia no ano de 1660. Lisboa, por M. F. da Costa, 1732.

————. Sermões varios do padre Antônio de Sá, da companhia de Jesus. Lisboa, por Miguel Rodrigues, 1750. xiv, 312 p.

SANTOS, Nestor Victor dos, 1868-1932. A crítica de ontem. Rio de Janeiro, Leite Ribeiro e Maurillo, 1919. 360 p.
Essays and articles from 1898 to 1914. Nestor Victor was the principal critic of Brazilian Symbolism.

————. Os de hoje. São Paulo, Cultura Moderna, 1938.

CRITICAL REFERENCE: LIMA, Alceu Amoroso. Primeiros estudos. Rio de Janeiro, Agir, 1948. (O crítico do simbolismo; p. 54-57.)

SERRA, Joaquim Maria (sobrinho), 1838-1888. Sessenta anos de jornalismo; a imprensa no Maranhão. 1820-1889, por Ignotus (pseud.). Rio de Janeiro, 1883. 155 p.
Collection of literary and historical articles by one of Brazil's best newspaper men of his day.

SERRANO, Jônatas Archanjo, 1885-   . Farias Brito: o homem e a obra. São Paulo, Editôra Nacional, 1939. 319 p.

SILVA, Arthur Orlando da, 1858-1916. Filocrítica; introd. de Martins Júnior. Pernambuco, Tip. Apolo, 1886. 223 p.

SILVA, João Pinto da. Vultos de meu camino: estudos e impressões de literatura. Pôrto Alegre, Barcelos Bertaso e Cia., 1918. 208 p.
Writers studied: José Enrique Rodó, Vicente de Carvalho, Cruz e Sousa, Euclides da Cunha, Alcides Maia, and others.

SILVA, Sérgio Milliet da Costa e, 1898-   . Ensaios, por. . . . São Paulo, 1938.

————. Fora de forma; arte e literatura. São Paulo, Anchieta, 1942. 182 p.

SODRÉ, Nelson Werneck. História da literatura brasileira: seus fundamentos econômicos. 2a ed. Rio de Janeiro, J. Olympio, 1940. 258 p.

————. Orientações do pensamento brasileiro. Rio de Janeiro, Casa Ed. Vecchi Ltda., 1942. 183 p.

Studies on: Azevedo Amaral, Gilberto Freyre, Oliveira Viana, Fernando de Azevedo, Graciliano Ramos, José Lins do Rêgo, Jorge Amado, and Lúcio Cardoso.
Other works: Panorama do Segundo Império, 1939; Oeste, ensaio sôbre a grande propriedade pastoril, 1941; Síntese do desenvolvimento literário no Brasil, 1943.

TÔRRES, Antônio dos Santos, 1885-1934. Pasquinadas cariocas. Rio de Janeiro, Castilhos, 1921.

————. Prós e contras. Rio de Janeiro, Castilhos, 1922.

TORRES, João Camilo de Oliveira. O positivismo no Brasil. Petrópolis, Ed. Vozes Ltda., 1943. 336 p.

VARNHAGEN, Francisco Adolfo de, Visconde de Pôrto Seguro, 1816-1878. O Caramurú perante a história; dissertação. Rio de Janeiro, 1846. Published also in Revista trimensal, T. X, (1848); p. 129-152.

————. Sumé; lenda mytho-religiosa americana, recolhida em outras éras por um indio Moranduçara, agora traduzida e dada á luz com algumas notas por um paulista de Sorocaba. Madrid, 1855. 39 p. Published also in Panorama, T. XII (1855), p. 347 ff. cited by Ford.

CRITICAL REFERENCES: BELLIDO, Remijio de. Varnhagen e a sua obra. Comemoração do Centenário. São Paulo, Rothschild, 1916. 41 p. LESSA, Claudio Ribeiro de. A formação de Varnhagen. (In Revista do Instituto Histórico e Geográfico Brasileiro, CLXXXVI, 1945; p. 55-88.) VIEIRA, Celso. Varnhagen. O homem e a obra. Rio de Janeiro, Anuário do Brasil, 1923. 94 p.

VELLINHO, Moisés. Letras da província. Pôrto Alegre, Globo, 1944. 198 p.
Studies 8 writers from South Brazil including: Dionélio Machado, Érico Veríssimo, Vianna Moog, and Augusto Meyer.

VERAS, Humberto de Campos, 1886-1934. Obras completas. Rio de Janeiro, W. M. Jackson, 1941. 32 v.
Critic of neo-Parnassians.

———. Crítica. 4a série. Rio de Janeiro, J. Olympio, 1933-1936.
Collected reviews by one of Brazil's best critics.

VIEIRA, Antônio, padre, 1608-1697. Arte de furtar, 1652. Attributed to Vieira.

———. Cartas do Padre Antônio Vieira, coordenadas e anotadas por Lúcio de Azevedo. Coimbra, Imprensa da Universidade, 1925-1928. 3 v.

———. Sermões do P. Antônio Vieira. Lisboa, 1679-1748. 15 v.

———. Introdução e notas por Antônio Soares Amora. São Paulo, Ed. Assunção, 1946. 143 p.

CRITICAL REFERENCES: LISBOA, João Francisco. Vida do padre Antônio Vieira, 1891. PADRE ANTÔNIO VIEIRA. (*In* Autores e livros, ano 9, X, 1, 1 de jan., 1949; p. 1-4.) PEIXOTO, Julio Afrânio. Vieira brasileiro. Lisboa, 1921. 2 v. TAVARES, José. O Brasil nas Cartas do Padre Antônio Vieira. (*In* Brasília, V, 1950; p. 443-451.)

VISCONTI, F. Vítor. Três momentos do existencialismo. Rio de Janeiro, Pongetti, 1952. 62 p.

WERNECK, Francisco José dos Santos (José d'Alem). As idéias de Eça de Queirós. Rio de Janeiro, Agir, 1946. 369 p.
The work that won the Prêmio Póvoa de Varzim.

III. The Novel and Other Prose Fiction

A. THE NOVEL: GENERAL STUDIES

ALVES, F. M. Rodrigues (filho). O sociologismo e a imaginação no romance brasileiro. Rio de Janeiro, J. Olympio, 1939. 78 p.
Pretentious title.

CARVALHO, Adherbal de. O naturalismo no Brasil. São Luís do Maranhão, Julio Ramos, 1894. 209 p.
On Naturalism.

CAVALCANTI, José Lins do Rêgo. Conferências no Prata. Tendências do romance brasileiro. Raul Pompéia. Machado de Assis. Rio de Janeiro, Casa do Estudante do Brasil, 1946. 107 p.
A contribution to literary criticism.

CAVALHEIRO, Edgard. Evolução do conto brasileiro. (*In* Boletim Bibliográfico [São Paulo] VIII, julho-setembro de 1945; p. 101-120.)

COSTA, Benedicto. Le roman au Brésil. Paris, Garnier, 1918. 205 p.
Incomplete.

FREITAS, Bezerra de. Forma e expressão no romance brasileiro. Rio de Janeiro, Pongetti, 1947. 364 p.

GRIECO, Agrippino. Evolução da prosa brasileira. Rio de Janeiro, Ariel, 1933.

(2nd ed., Rio de Janeiro, J. Olympio, 1947. 287 p.)
A comprehensive work.

HOLLANDA, Aurelio Buarque de (ed.). O romance brasileiro, de 1752 a 1930. Introdução de Octavio Tarquinio de Sousa. Rio de Janeiro, O Cruzeiro, 1952. 286 p. illus.
Augmented reissue in book form of a celebrated issue of the Revista do Brasil (May, 1941). Of great critical value.

HOURCADE, Pierre. Tendências e individualidades do romance brasileiro contemporâneo. Coimbra, Publicações da Sala do Brasil da Universidade de Coimbra, 1938. 24 p.
A lecture.

MONTENEGRO, Olívio. O romance brasileiro: As suas origens e tendências. Rio de Janeiro, J. Olympio, 1938. 191 p.
A selective study.

MORAES NETO, José Prudente de. The Brazilian Romance. Rio de Janeiro, Imprensa Nacional, 1943. 46 p.
An excellent résumé.

———. La novela brasileña. Versión española y notas de Alarcón Fernández. (*In* Colección de Monografías

Brasileñas da Divisão de Cooperação Intelectual do Ministerio das Relações Exteriores do Brasil, No. 4. Rio de Janeiro, Imprensa Nacional, 1943. 62 p.)

PEREIRA, Lúcia Miguel. Prosa de ficção, de 1870 a 1940. (V. XII da História da literatura brasileira, dirigida por Álvaro Lins.) Rio de Janeiro, J. Olympio, 1949. 338 p.

Covers Naturalism.

RAMOS, Graciliano. Decadência do romance brasileiro. (*In* Literatura, ano 1, no. 1, set., p. 20-24.)

SOUSA, Octavio Tarquinio de (ed.). O romance brasileiro. (*In* Revista do Brasil, v. IV, tercera série, no. 35, maio de 1951. 240 p.)
Special issue with articles by contemporary critics and writers.

B. THE NOVEL AND OTHER PROSE FICTION

ABREU, Adriano de. Dias de maio. Rio de Janeiro, J. Olympio, 1946. 243 p.
A novel of manners.

ACAUÃ, Antônio. Capitão de emboscadas. Pôrto Alegre, Globo, 1948. 221 p.
Portrays struggle between Brazilian colonists and Dutch invaders, toward the middle of the 17th century.

ACCIOLY, Breno. Cogumelos. Contos. Prefácio de Gilberto Freyre. Rio de Janeiro, A Noite, 1949? 100 p.

ADONIAS FILHO. Memórias de Lázaro. Romance. Rio de Janeiro, O Cruzeiro, 1952. 162 p.

————. Os servos da morte. Rio de Janeiro, J. Olympio, 1946. 342 p.
A first novel.

ALBUQUERQUE, Leda Maria. A semana de Miss Smith. Rio de Janeiro, J. Olympio, 1943.
Novel that won honorable mention in Prêmio Humberto Campos.

ALBUQUERQUE, Matheus de. A fôrça da ilusão. Rio de Janeiro, Agir, 1947. 235 p.
Novel.

ALENCAR, José Martiniano de, 1829-1877. Alfarrabios, chronicas dos tempos coloniaes. Rio de Janeiro, 1873 2 v.

————. Cinco minutos. A viuvinha. Romances. 2nd ed. São Paulo, Ed. Melhoramentos, 1946. 155 p. First published in 1860.

————. Encarnação; romance. Rio de Janeiro, 1893. 179 p. (1st ed., 1877.)

————. ————. 2nd ed. Revised by Mário de Alencar. Rio de Janeiro. Garnier, 1908. viii, 160 p.

————. O gaúcho; romance brasileiro. 3rd ed. Rio de Janeiro, Garnier, 1903? 2 v. (1st ed., Rio, Garnier, 1870.)

————. El gaucho; novela brasileña. Versión castellana de E. Amo. Paris, Garnier hnos., 1913. 405 p.

————. O guaraní. Rio de Janeiro, Ed. H. Antunes, 1943? 390 p. (1st ed., 1857.)

————. A guerra dos mascates. Crônica dos tempos coloniais. Primeira parte. São Paulo, Ed. Melhoramentos, 1943? 307 p. (1st ed., 1873.)

————. Diva; perfil de mulher. Rio de Janeiro, Garnier, 1864. 162 p. (6th ed., Rio, Garnier, 1895. 215 p.)

————. ————. New ed., rev. by Mário de Alencar. Rio de Janeiro, Garnier, 1921. 215 p.

————. ————. São Paulo, Ed. Martins, 1944. 471 p.

————. Iracema, lenda do Ceará. Rio de Janeiro, 1865.

————. ————. Nova ed., rev. por Mário de Alencar. Rio de Janeiro, H. Garnier, 1925? 268 p.

————. ————. Introdução e apêndice, "Alencar e a língua brasileira," por Gladstone Chaves de Melo. Rio de Janeiro, Imprensa Nacional, 1948. li, 180, 109 p.

———. Lucíola, um perfil de mulher. São Paulo, Editôra Nacional, 1928. 160 p.

———. As minas de prata. Rio de Janeiro, Ed. Melhoramentos, 1943? 1050 p. (1st ed., 1865.)
Picture of Brazilian colonial society.

———. A pata da gazela. Romance. 2nd ed. São Paulo, Ed. Melhoramentos, 1946. 150 p. First published in 1870.

———. Senhora, perfil de mulher. Rio de Janeiro, Garnier, 1926? vi, 342 p. (1st ed., 1875.)

———. O sertanejo; romance brasileiro. São Paulo, Editôra Nacional, 1928. 289 p. (1st ed., 1876.)

———. El sertanero. México, Fondo de Cultura Económica, 1952. 310 p. Spanish translation, by Ernestina de Champorucín, of O sertanejo.

———. Sonhos d'ouro; romance brasileiro. Rio de Janeiro, Livr. Garnier, 1920. 2 v. (1st ed., 1872.)

———. Til; romance brasileiro. Rio de Janeiro, H. Garnier, 1897. 2 v.

———. O tronco de ipê; romance brasileiro. Rio de Janeiro, Livr. Garnier, 1921. 284 p. (1st ed., 1871.)

———. ———. Rio de Janeiro, 1944. 264 p. A reprint.

———. Ubirajara, lenda tupy. Lisboa, Ed. Delta, 1921. 159 p. (1st ed., 1874.) Editions: 1925 and 1926.

CRITICAL REFERENCES: ALENCAR, Mário de. José de Alencar. São Paulo, Monteiro Lobato, 1922. 318 p. Contains an excellent bibliography. ARARIPE, Tristão de Alencar (júnior). José de Alencar. 2a ed. Rio de Janeiro, 1894. 204 p. (1st ed., 1882.) One of the best studies on Alencar. CASA, María Luísa de la. La sombra de Cooper sobre el americanismo de Alencar. New York, Hispanic Institute. 15 p. CASTELLO, José Aderaldo (comp.). Bibliografia a plano das obras completas de José Alencar. (In Boletim Bibliográfico [São Paulo], XIII, 1949; p. 37-57.) Complete and extremely useful bibliography. FREITAS, Bezerra de. Forma e expressão no romance brasileiro. Rio de Janeiro, Pongetti, 1947; p. 112-117. FREYRE, Gilberto. José de Alencar. Rio de Janeiro, Ministério da Educação e Saúde, Serviço de Documentação, 1952. 32 p. MONTENEGRO, Olívio. O romance brasileiro. Rio de Janeiro, J. Olympio, 1938; p. 36-47. Psychological study. MOTTA, Arthur. José de Alencar (o escriptor e o político); sua vida e sua obra. Rio de Janeiro, F. Briguiet, 1921. 307 p. ORICO, Osvaldo. A vida de José de Alencar. São Paulo, Editôra Nacional, 1929. 215 p. PEIXOTO, Afrânio. Alencar. (In Revista da Academia Brasileira de Letras, no. 89, maio de 1929; p. 5-24.) TÁVORA, João Franklin da Silveira. Cartas a Cincinnato; estudos críticos de Sempronio sôbre o Gaúcho e Iracema, Obras de Senio (José de Alencar). 2a ed. com extractos de cartas de Cincinnato e notas do autor. Rio de Janeiro, Garnier, 1872. vi, 330 p. TROVÃO, Lopes. José de Alencar, o romancista. Rio de Janeiro, Quaresma, 1897. 28 p. WOODBRIDGE, Benjamin Mather, Jr. O que sobra de Alencar? (In La novela iberoamericana. Memoria del Quinto Congreso del Instituto Internacional de Literatura Ibero-americana. Albuquerque, Univ. of New Mexico Press, 1952; p. 169-179.)

ALMEIDA, José Américo de, 1887- . A bagaceira. Paraíba, Imprensa Oficial, 1928.
A novel that opened a new phase of literary history.

———. ———. 7th ed. Rio de Janeiro, Olympio, 1937. 307 p. Also, ed., 1941.

———. O boqueirão, romance. Rio de Janeiro, J. Olympio, 1935. 215 p.

————. Coiteiros. 2nd ed. São Paulo, Editôra Nacional, 1935. 190 p. Novel.

CRITICAL REFERENCES: ATHAYDE, Tristão de. Estudos. 3a série. 1a parte. Rio de Janeiro, A Ordem, 1930. (Uma revelação, p. 137-151.) Article that made A bagaceira famous. GRIECO, Agrippino. Evolução da prosa brasileira. 1933. 2a ed. Rio de Janeiro, J. Olympio, 1947; p. 120-125. MONTENEGRO, Olívio. O romance brasileiro. Rio de Janeiro, J. Olympio, 1938; p. 151-155. VICTOR, Nestor. Os de hoje. São Paulo, Cultura Moderna, 1938; p. 143-152.

ALMEIDA, Julia Lopes de, 1862-1934. A família Medeiros. Nova ed. Rio de Janeiro, Emp. Nacional de Publicidade, 1919. 329 p.
Other works: Short stories: Contos infantis, 1886; Traços e luminárias, 1888; Ansia eterna, n.d.; Era uma vez. . . , 1917; A isca, 1922; Novels: A família Medeiros, 1892; Memórias de Marta, 1889; A viúva Simões, 1897; A Silveirinha, n.d.; A casa verde (in collaboration with Filinto de Almeida, her husband), 1932; Pássaro tonto, n.d.

ALMEIDA, Manuel Antônio de, 1831-1861. Memórias de um sargento de milícias; intro. de Mário de Andrade. São Paulo, Martins, 1941. 276 p. 10th ed.
First published in Correio Mercantil in 1852-1853. Appeared in book form in 1854-1855, 2 v. (12th ed., Lisboa, Ultramar, 1944.)

CRITICAL REFERENCES: ANDRADE, Mário de. Memórias de um sargento de milícias. Pref. to 10th ed. cited above. Also found in Aspectos da Literatura Brasileira. Rio de Janeiro, Americ. Edit., 1943; p. 165-184. CRUZ, Eddy Dias da. Vida e obra de Manuel Antônio de Almeida, por Marques Rebêlo (pseud.). Rio de Janeiro, Instituto Nacional do Livro, 1943. 132 p. ————. Bibliografia de Manuel Antônio de Almeida. Rio de Janeiro, Ministério da Educação e Saúde, Instituto Nacional do Livro, 1951. 188 p. SERPA, Phoción. Manuel Antônio de Almeida. (In Revista Iberoamericana, IX, 18, mayo, 1945; p. 325-356.) SILVA, Francisco Joaquim Bethencourt da. Introdução literária. Manuel Antônio de Almeida. Pref. to 4th ed. of Memórias de um sargento de milícias. Rio de Janeiro, Dias da Silva Júnior, 1876; p. i-xlviii. SOUTO, Luís Felipe Vieira. Dois românticos brasileiros. Rio de Janeiro, Imprensa Nacional, 1931; p. 95-118. VERÍSSIMO, José. Estudos brasileiros. V. II. Rio de Janeiro, Laemmert, 1894. (Um velho romance brasileiro, p. 107-124.)

AMADO, Gilberto, 1887-   . Inocentes e culpados. 2nd ed. Rio de Janeiro, J. Olympio, 1941. 397 p.
Other works: Os interêsses da companhia, 1942.

AMADO, James. Chamado do mar. São Paulo, Martins, 1949. 289 p.
A first novel.

AMADO, Jorge, 1912-   . Bahia de Todos os Santos; guia das ruas e dos misterios da cidade do Salvador. São Paulo, Martins, 1945. 306 p.

————. Cacáu; romance. 3rd ed. Rio de Janeiro, Olympio, 1936. 227 p. (1st ed., 1933.)
His cycle on cocoa plantations.

————. Capitães de areia. 3rd ed. São Paulo, Martins, 1947. 295 p. (1st ed., 1937.)

————. Jubiabá. 3rd ed. São Paulo, Martins, 1944. 309 p. (1st ed., 1935.)

————. O País do carnaval. Rio de Janeiro, Schmidt, 1932.

————. Mar morto, romance. Rio de Janeiro, J. Olympio, 1936. 346 p. (1st ed.)

————. O País do carnaval. Cacáu. Suór. São Paulo, Martins, 1944. 317 p. (First editions: 1932, 1933, and 1934, respectively.)

————. São Jorge dos Ilhéus. 2nd ed. São Paulo, Martins, 1944. 363 p.
His cycle of the cocoa country.

————. Seara vermelha. São Paulo, Livr. Martins, 1946. 319 p.
A novel with political innuendoes.

———. Suór. 2d ed. Rio de Janeiro, J. Olympio, 1936. 225 p. (1st ed., 1934.)
His Os romances da Bahia, III.

———. Terras do sem fim. São Paulo, Martins, 1942. (4th ed. São Paulo, Martins, 1946. 311 p.)

CRITICAL REFERENCES: BARROS, Jaime de. Espelho dos livros. Rio de Janeiro, J. Olympio, 1936. (Libertação definitiva dos negros, p. 117-126.) CÂNDIDO, Antônio. Brigada ligeira. São Paulo, Martins, 1945 (Poesia, documento e história; p. 45-62.) GRIECO, Agrippino. Gente Nova do Brasil. Rio de Janeiro, J. Olympio, 1935; p. 9-18. MONTEIRO, Adolfo Casais. O romance e os seus problemas. Lisboa, Casa do Estudante do Brasil, 1950. (Jorge Amado: Jubiabá, p. 161-172; Realismo lírico, p. 181-184; Até as raízes do humano, p. 185-188.) MONTE-NEGRO, Olívio. O romance brasileiro. Rio de Janeiro, J. Olympio, 1938; p. 144-150. PUTNAM, Samuel. Handbook of Latin American Studies: IX. 1946; p. 404-405. Résumé of the literary evolution of the novelist.

AMBRÓSIO, Manoel. A ermida do planalto. Novela regional. Rio de Janeiro, Ed. Irmãos Nelson e N. Monção, 1945. 155 p.
Novel dealing with life on the highlands of Brazil.

ANDRADE, Almir de, 1911- . Duas irmãs. Rio de Janeiro, J. Olympio, 1944. 363 p.
Psychological novel.

ANDRADE, Carlos Drummond de, 1903- . Confissões de Minas. Rio de Janeiro, Americ. Edit., 1944. 277 p.

———. Contos de aprendiz. Rio de Janeiro, J. Olympio, 1951. 248 p.

ANDRADE, José Maria Goulart de, 1881-1936. Assumpção; romance. Rio de Janeiro, Livr. F. Alves, 1913. 244 p.

ANDRADE, José Oswald de Sousa, 1890- . Os condenados. São Paulo, Monteiro Lobato, 1922.

———, Chão. Rio de Janeiro, J. Olympio, 1946.

———. Os condenados: I. Alma. II. A estrêla de absinto. III. A escada. Pôrto Alegre, Livr. Globo, 1921. 271 p.

———. Escada vermelha. São Paulo, Editôra Nacional, 1934.

———. Estrêla de absinto. São Paulo, Hélios, 1927.

———. Marco Zero. 2. Chão. Rio de Janeiro, J. Olympio, 1945. 468 p.

———. Marco Zero. Rio de Janeiro, J. Olympio, 1943- .
Contents: 1. A revolução melancôlica.
Based upon the cyclic romance of Marco Zero of the São Paulo region.

———. Memórias sentimentais de João Miramar. São Paulo, Independência, 1924.

———. Serafim Ponte Grande. Rio de Janeiro, Ariel, 1934.

CRITICAL REFERENCE: CÂNDIDO, Antônio. Brigada ligeira. São Paulo, Martins, 1945. (Estroro e libertação, p. 11-30.) On works of fiction.

ANDRADE, Maria Julieta Drummond de. A busca. Novela. Prefácio de Aníbal Machado. Rio de Janeiro, Ed. J. Olympio, 1946. 141 p.
A first novel by the daughter of the Modernista poet, Carlos Drummond de Andrade.

ANDRADE, Mário Raul Moraes de, 1893-1945. Belazarte. São Paulo, Ed. Pratininga, 1934.
Short stories.

———. Brasilia. (In Revista Academia paulista let., ano 10, no. 39, set., 1947; p. 63-76.)
Short story written in 1921.

———. Amar, verbo intransitivo. São Paulo, Martins, 1944. 181 p. (1st ed., 1927.)

———. Contos novos. São Paulo, Martins, 1947. 152 p.
Posthumous collection of short stories dealing with life around São Paulo.

—————. Macunaíma, o herói sem nenhum carácter. São Paulo, Oficinas Gráficas de E. Cupolo, 1928. 283 p. 1st ed. Ed., Rio de Janeiro, J. Olympio, 1937.)
Most representative fiction work of the Modernista movement.

—————. Primeiro andar. São Paulo, Antônio Tisi, 1926.
Short stories.

—————. Obras completas. São Paulo, Martins, 1944. 19 v.
Contents: 1. Hâ uma gôta de sangue em cada poema, Contos do Primeiro Andar, A escrava que não é Isaura; 2. Poesias completas; 3. Amar, verbo intransitivo; 4. Macunaíma; 5. Contos de Belazarte; 6-9. Escritos sôbre música; 10-14. Escritos de crítica literária, crítica das artes plásticas e folclore; 17. Contos novos; 18. Danças dramáticas do Brasil; 19. Modinhas e lundus imperiais.
For critical references, see entries on Poetry.

ANDRADE, Rodrigo Melo Franco de, 1898-   . Velórios. Belo Horizonte, Os Amigos do Livro, 1935. (2nd ed., Rio, Sombra, 1945.)

ANJOS, Cyro Versiani dos, 1906-   . Abdias, romance. Rio de Janeiro, J. Olympio, 1945. 313 p.

—————. O amanuense Belmiro, romance. 3d ed. São Paulo, Ed. Saraiva, 1949. 223 p. (1st ed., 1937.)

CRITICAL REFERENCES: ANJOS, Rui Veloso Versiani dos. História da família Versiani. Belo Horizonte, Imprensa Oficial, 1944. 144 p. Recommended by some critics to understand the work of Versiani. LINS, Álvaro, Jornal de crítica. 5a série. Rio de Janeiro, J. Olympio, 1947. (Notas sôbre Abdias; p. 127-131.) MONTEIRO, Adolfo Casais. O romance e os seus problemas. Lisboa, Casa do Estudante do Brasil, 1950. (O Amanuense Belmiro, de Cyro dos Anjos; p. 177-180.)

ARANHA, José Pereira da Graça, 1868-1931. Canaan. Nova ed. revista. Rio de Janeiro, F. Briguiet, 1943. 276 p. (1st ed., 1902; 7th ed., 1922.)
Aranha and Mário de Andrade were the leaders of the Modernista movement.

—————. Malazarte. Rio de Janeiro, Briguiet, 1911.

—————. O meu própio romance. São Paulo, Editôra Nacional, 1931. 174 p.
Autobiography.

—————. Graça Aranha, la obra y el hombre. Trad., prólogo y notas de Armando Correia Pacheco. Washington, Unión Panamericana (Escritores de América), 1951. 140 p.
Selections in Spanish translation.

—————. Obras Completas. Rio de Janeiro, Briguiet, 1939-1941. 8 v.
Contents: 1. Chanaan; 2. Malazarte; 3. Estética da Vida; 4. Correspondência de Machado de Assis e Joaquim Nabuco; 5. O Espírito moderno; 6. A viagem maravilhosa; 7. O meu própio romance; 8. Diversos.

—————. A viagem maravilhosa. Rio de Janeiro, Briguiet, 1944. 400 p. (1st ed., 1930.)

CRITICAL REFERENCES: CAMPOS, Humberto de. Crítica. V. II. 2nd ed. Rio de Janeiro, Olympio, 1935. (A viagem maravilhosa, de Graça Aranha, p. 32-46.) CARVALHO, Ronald de. Estudos Brasileiros. 2nd series. Rio de Janeiro, Briguiet, 1931; p. 7-44. COSTA FILHO, Odílio. Graça Aranha e outros ensaios. Rio de Janeiro, Selma, 1934; p. 11-66. FRANCOVICH, Guillermo. Filósofos brasileños. Buenos Aires, Ed. Losada, s.a., 1943; p. 97-113. GOLDBERG, Isaac. Brazilian Literature. New York, Alfred A. Knopf, 1922. (Graça Aranha; p. 234-247.) —————. Graça Aranha in Quest of the Promised Land. (In The New York Times Review and Magazine, July 15, 1923; p. 18, 28.) MORAES, Carlos Dante de. Viagens interiores. Rio de Janeiro, Schmidt, 1931. (Graça Aranha, p. 35-101.) PACHECO, Felix. A Chanaan de Graça Aranha. Rio de Janeiro, Tip. Jornal do Comércio, 1931. 36 p. PEREIRA, Lúcia Miguel. Prosa de ficção, de 1870 a 1920. Rio de Janeiro, J. Olympio, 1949. (Literatura social: Graça Aranha; p. 234-241.) SOARES, Teixeira. A mensagem de Graça Aranha. Rio de Janeiro, Fundação Graça Aranha, 1941. 72 p.

ARAÚJO, J. A. dos Santos. Contos que a vida contou. . . . Rio de Janeiro, A Noite, 1950. 185 p.

ARROYO, Leonardo. Viagem para Málaga. Rio de Janeiro, J. Olympio, 1950. 187 p.
Winner of the Fabio Prado Prize for 1929. Scenes of lower middle class.

ASFORA, Permínio. Fogo verde. São Paulo, Editôra Brasiliense, 1951? 259 p.
Novel of the Brazilian Northeast.

ASSIS, Joaquim Maria Machado de, 1839-1908. Dom Casmurro. 2a ed. Rio de Janeiro, H. Garnier, 1900. 404 p. (1st ed., 1899. Ed. Rio, Garnier, 1924.)

——. Casa velha. Ed. by Lúcia Miguel Pereira. São Paulo, Martins, 1944.

——. Contos fluminenses. Rio de Janeiro, H. Garnier, 1899. (1st ed., 1873, also issued 1924? 310 p.)

——. Os deuses de casaca. Rio de Janeiro, Instituto Artístico, 1866.

——. Esaú e Jacó. Rio de Janeiro, Paris, Garnier, 1920? 362 p. (1st ed., 1904.) Novel.

——. Helena, romance. Rio de Janeiro, Paris, Garnier, 1921. 297 p. (1st ed., 1876.)

——. Histórias de meia-noite. Rio de Janeiro, Paris, Garnier, 1923. 242 p. (1st ed., 1873.) Short stories.

——. Histórias sem data. Rio de Janeiro, 1884. 279 p. 1st ed.

——. ——. Nova ed., revista. Rio de Janeiro, Garnier, 1924? 224 p.

——. Iaiá Garcia. Nova ed. Rio de Janeiro, Paris, Garnier, 1921. 320 p. (1st ed., 1876.)

——. A mão e a luva. Rio de Janeiro, Paris, Garnier, 1919. viii, 190 p. (1st ed., 1874.)
Novel reprinted in 1907.

——. Memorial de Aires. Nova ed. Rio de Janeiro, Paris, Garnier, 1908. 273 p. Also 1923. (1st ed., 1908.)

——. Memórias póstumas de Bras Cubas. Rio de Janeiro, Paris, Garnier, 1914. x, 387 p. (1st ed., 1881.)
First published in Revista Brasileira, 1880. Continued in the author's Quincas Borba.

——. Novas relíquias. Ed. by Fernando Nery. Rio de Janeiro, Guanabara, 1922.

——. Obras completas. Rio de Janeiro, W. M. Jackson, 1936. (3rd ed., 1938; 5th ed., 1944.) 31 v.
Contents: 1. Ressurreição; 2. A mão e a luva; 3. Helena; 4. Yaiá Garcia; 5. Memórias póstumas de Brás Cubas; 6. Quincas Borba; 7. Dom Casmurro; 8. Esaú e Jacó; 9. Memorial de Aires; 10 and 11. Contos fluminenses; 12. Histórias da meia-noite; 13. Histórias románticas; 14. Papéis avulsos; 15. Histórias sem data; 16. Várias histórias; 17. Páginas recolhidas; 18 and 19. Relíquias de casa velha; 20-23. Crônicas; 24-26. A semana; 27. Poesias; 28. Teatro; 29. Crítica literária; 30. Crítica teatral; 31. Correspondência.

——. Outras relíquias. (Prosa e verso.) Coleção póstuma. Rio de Janeiro, Paris, Garnier, 1920. vii, 241 p. (1st ed., 1910.) Ed. by Mário de Alencar.

——. Páginas recolhidas. Rio de Janeiro, Paris, Garnier, 1900. viii, 262 p. (1st ed., 1899.)

——. Papéis avulsos. Rio de Janeiro, Lombaerts, 1882.

——. Queda que as mulheres têm para os tolos. Rio de Janeiro, Paula Brito, 1861.

——. Quincas Borba. Rio de Janeiro, Garnier, 1923? 360 p. (1st ed., 1891.)
Continuation of Memórias póstumas de Brás Cubas.

——. Relíquias de casa velha. Rio de Janeiro, Paris, Garnier, 1921. 264 p. (1st ed., 1906.)

——. Ressurreição; romance. Rio de Janeiro, B. L. Garnier, 1872. 425 p.

——. Tu, só tu, puro amor. Rio de Janeiro, Garnier, 1881.

————. Várias histórias. Rio de Janeiro, Paris, Garnier, 19—? iv, 282 p. (1st ed., 1896.)

————. Correspondência. Ed. by Fernando Nery. Rio de Janeiro, Bedeschi, 1932.

CRITICAL REFERENCES: ABREU, Modesto de. Biógrafos e críticos de Machado de Assis. Rio de Janeiro, Academia Carioca de Letras, 1939. 391 p. ————. Machado de Assis. Rio de Janeiro, Ed. Norte, 1938. 86 p. ARANHA, José da Graça. Machado de Assis e Joaquim Nabuco. Comentários e notas à correspondência entre êstes dois escritores. São Paulo, Monteiro Lobato, 1923. 268 p. (2nd ed., Rio de Janeiro, Briguiet, 1942. 269 p.) Fundamental work. ARARIPE, Tristão de Alencar (júnior). Machado de Assis. (In Revista Brasileira, I, 1, 1 de janeiro de 1895; p. 22-28.) ARAÚJO, Hugo Bressane de. O aspecto religioso da obra de Machado de Assis. Rio de Janeiro, Cruzada da Boa Imprensa, 1939. 64 p. Catholic point of view. BARRETO FILHO. Introdução a Machado de Assis. Rio de Janeiro, Agir, 1947. 270 p. New humanistic interpretation. BELLO, José Maria. Retrato de Machado de Assis. Rio de Janeiro, A Noite, 1952. 313 p. BRASIL. Ministério da Educação e Saúde. Exposições. II. Exposição de Machado de Assis. Centenário do nascimento de Machado de Assis, 1839-1939. Rio de Janeiro, Documentário e bibliografia, com uma introdução de Augusto Meyer, Diretor do Instituto Nacional do Livro. CASASANTA, Mário. Machado de Assis e o tédio à controversia. Belo Horizonte, Os Amigos do Livro, 1934. 72 p. ————. Minas e os mineiros na obra de Machado de Assis. Belo Horizonte, Os Amigos do Livro, 1938. 108 p. CASTELLO, José Aderaldo. Ideário crítico de Assis. Breve contribuição para o estudo de sua obra. (In Revista de História, São Paulo, III, 11, julho-set. de 1952; p. 93-128.) Study of Machado's work as a literary critic. CENTENÁRIO DE MACHADO DE ASSIS. (In Revista do Brasil, no. especial, Rio de Janeiro, junho de 1939. 160 p.) COUTINHO, Afrânio. A filosofia de Machado de Assis. Rio de Janeiro, Vecchi, 1940. 196 p. GOLDBERG, Isaac. Brazilian Literature. New York, Alfred A. Knopf, 1922. (Machado de Assis; p. 142-164.) GOMES, Eugênio. Influências inglêsas em Machado de Assis. Bahia, 1939. 63 p. HOLLANDA, Aurélio Buarque de. Linguagem e estilo de Machado de Assis. (In Revista do Brasil, 3a fase, II, 13, julho de 1939; p. 54-70; II, 14, agôsto de 1939; p. 17-34.) JUCÁ, Cândido (filho). O pensamento e a expressão em Machado de Assis, 1939. JÚNIOR, Peregrino. Doença e constituição de Machado de Assis. Rio de Janeiro, J. Olympio, 1938. 166 p. MATTOS, Mário. Machado de Assis, o homem e a obra. São Paulo, Editôra Nacional, 1939. 454 p. Study of novels based on the characters created by him. MAYA, Alcides. Machado de Assis. Algumas notas sôbre o humor. Rio de Janeiro, Jacinto Silva, 1912. 162 p. (2nd ed., Rio, Academia Brasileira de Letras, 1942. 162 p.) MENUCCI, Sud. Machado de Assis. São Paulo, 1943. 61 p. Lecture on the subject, now issued in pamphlet form. MEYER, Augusto. Machado de Assis. Pôrto Alegre, Globo, 1935. 116 p. Started new trend of criticism on Machado. MONTENEGRO, Olívio. O romance brasileiro. Rio de Janeiro, J. Olympio, 1938. (Machado de Assis; p. 105-121.) Dual personality of Assis. MOTTA, Cândido (filho). O camino de três agonias. Rio de Janeiro, J. Olympio, 1945. (Meditações sôbre Machado de Assis, p. 64-207.) PACHECO, Armando Correia (ed.). Machado de Assis, Romancista. Seleção, prefácio e notas de. . . . Washington, União Pan-Americana, 1949. 78 p. Selections from Machado's last five novels. PEREIRA, Lúcia Miguel. Machado de Assis. Estudo crítico e biográfico. 3rd ed. São Paulo, Editôra Nacional, 1946. 357 p.

Definitive biography; first appeared in 1937. PONTES, Eloy. A vida contradictória de Machado de Assis. Com 65 ilustrações fora de texto. Rio de Janeiro, J. Olympio, 1939. 330 p. ———. Machado de Assis. São Paulo, Ed. Cultura, 1943. 91 p. A brief biographical sketch. PUJOL, Alfredo. Machado de Assis. São Paulo, Tip. Brasil, 1917. 352 p. (2nd ed., Rio de Janeiro, J. Olympio, 1934. 366 p.) Fundamental biography. PUTNAM, Samuel. Marvelous Journey, A Survey of Four Centuries of Brazilian Literature. New York, Alfred A. Knopf, 1948; p. 178-187. Compares Assis with Henry James. ROMERO, Sílvio. Machado de Assis. Estudo comparativo de literatura brasileira. Rio de Janeiro, Laemmert, 1897. 352 p. (2nd ed., Rio, Olympio, 1936. 156 p.) SILVA, H. Pereira da. A megalomania literária de Machado de Assis. Rio de Janeiro, Aurora, 1949. 127 p. A one-sided study. VALE, Luís Ribeiro do. A psicologia mórbida na obra de Machado de Assis. Rio de Janeiro, Tip. Jornal do Comércio, 1917. 184 p. VALÉRIO, Américo. Machado de Assis e a psicanálise. Rio de Janeiro, Tip. Aurora, 1930. 232 p. WILSON, Clotilde. Machado de Assis, Encomiast of Lunacy. (*In* Hispania, XXXII, 2, May, 1949; p. 198-201.)

AURELI, Willi. Léguas sem fim. São Paulo, Ed. Universitária, 1949. 305 p. Tales of the *sertão*.

AUSTREGÉSILO Rodrigues Lima, Antônio. Almas desgraçadas. 2nd ed. Rio de Janeiro, Pongetti, 1950. 169 p. A novel with sociophilosophical overtones.

AZAMBUJA, Darcy Pereira de, 1903- . No galpão, contos gauchescos. 1° prêmio de Contos, da Academia Brasileira de Letras, em 1925. 5th ed. Pôrto Alegre, Globo, 1944. 172 p. Other works: A prodigiosa aventura, 1939; and Romance antigo, 1940.

AZEVEDO, Aluízio Tancredo Bello Gonçalves de, 1857-1913. Casa de pensão.

Nova ed. Rio de Janeiro, 1925? (1st ed., 1884. Several editions.) Principal exponent of Naturalism in Brazil.

———. A condessa Vesper; pub. em 1882 com o título, Memórias de um condemnado, por Aluízio Azevedo. Ed. rev. Rio de Janeiro, Paris, Garnier, 1902. 468 p. (Ed., Garnier, 1919.)

———. O cortiço. Rio de Janeiro, Valverde, 1948. 349 p. (1st ed., 1890.) A tale of a slum tenement.

———. O coruja. Rio de Janeiro, Garnier, 1921? 315 p. Novel, first published in 1890.

———. Demônios; contos. São Paulo, Teixeira e Irmão, 1893. 264 p. 1st ed.

———. ———. Pref. by M. Nogueira da Silva. Rio de Janeiro, F. Briguiet, 1938-1943. (Obras completas, v. 13.)

———. O esqueleto. Mistérios da Casa de Bragança. Rio de Janeiro, Tip. da Gazeta de Notícias, 1890. 47 p.

———. O homem. Rio de Janeiro, Garnier, 1923? 292 p. Novel, first published in 1887.

———. Uma lágrima de mulher; romance original. Rio de Janeiro, Paris, Garnier (n.d.) (1889?). 242 p. (1st ed., 1880.)

———. ———. Quinta ed. Rio de Janeiro, F. Briguiet, 1943. xi, 138 p. (Obras completas, v. I.) Pref. by M. Nogueira da Silva.

———. Livro de uma sogra. Rio de Janeiro, Paris, Garnier, 1913. 272 p. (1st ed., 1895.)

———. O mistério da Tijuca ou Girândola de amores. Rio de Janeiro, Garnier, 1882.

———. O mulato; romance. 5th ed. 1927? Coleção dos autores celebres da literatura brasileira. (1st ed., 1881.)

———. Obras Completas de. . . . Direção e revisão de M. Nogueira da

Silva. Rio de Janeiro, Briguiet, 1938-1943. 14 v.
Contents: 1. Uma lágrima de mulher, 4th ed.; 2. O mulato, 11th ed.; 3. A condessa Vesper, 7th ed.; 4. Girândola de amores, 4th ed.; 5. Casa de pensão, 9th ed.; 6. Filomena Borges, 4th ed.; 7. O homem, 9th ed.; 8. O coruja, 6th ed.; 9. O cortiço, 9th ed.; 10. O esqueleto: mistérios da casa de Bragança, 2d ed.; 11. A mortalha de Alzira, 6th ed.; 12. Livro de uma sogra, 8th ed.; 13. Demônios, 4th ed.; 14. O touro negro: crônicas e epistolário.

CRITICAL REFERENCES: COSTA, Benedicto. Le roman au Brézil. Paris, Garnier, 1918. (Le naturalisme: Aluízio Azevedo; p. 122-160.) MAYA, Alcides. Romantismo e naturalismo através da obra de Aluízio Azevedo. Pôrto Alegre, Globo, 1926. 52 p. VERÍSSIMO, José. Estudos brasileiros. V. II. Rio de Janeiro, Laemmert, 1894. (O romance naturalista no Brasil, p. 2-41.)

AZEVEDO, Artur Gonçalves de, 1855-1908. Contos efêmeros. 4th ed. Rio de Janeiro, n.d. 246 p.
Other works of fiction: Contos possiveis, 1889; Contos fora da moda, 1894; Contos cariocas, 1928; and Vida alheia, n.d.

AZEVEDO, Raul de. Louras do sul, morenas do norte. Rio de Janeiro, Pongetti, 1947. 252 p.

BARBOSA, Claudio Tavares. Mundo fechado. Novelas. Rio de Janeiro, 1946. 158 p.
Stories animated by a Catholic point of view.

BARRETO, Afonso Henriques de Lima, 1881-1922. Clara dos Anjos. Prefácio de Lúcia Miguel Pereira. Rio de Janeiro, Mérito, 1948. 303 p.
Posthumous novel, first published in the review Sousa Cruz, 1923-1924. Barreto was an urban and social novelist.

————. Histórias e sonhos. Rio de Janeiro, Cianborenco Schetino, 1920.

————. Numa e a ninfa (romance). Rio de Janeiro, Gráfica Editôra Brasileira, 1950, 306 p.

————. Recordações do escrivão Isaías Caminha. Prefácio de Francisco de Assis Barbosa. Rio de Janeiro, Mérito, 1949. 282 p.

Re-edition of an important satire of Brazilian journalism, first published in 1909.

————. Recordações do escrivão Isaías Caminha, O triste fim de Policarpo Quaresma, Vida e Morte de Gonzaga de Sá. São Paulo, Livro do Bolso, 1943.

————. Triste fim de Policarpo Quaresma. Prefácio de Oliveira Lima. Rio de Janeiro, Mérito, 1948. 297 p. (1st ed., 1915.)
Brilliant satire on political and social conditions in Brazil in the 1890's.

————. Vida e Morte de M. J. Gonzaga de Sá. São Paulo, Revista do Brasil, 1919. 201 p. (1st ed.)

————. ————. Rio de Janeiro, Mérito, 1949.

CRITICAL REFERENCES: BARBOSA, Francisco de Assis. A Vida de Lima Barreto (1881-1922). Rio de Janeiro, J. Olympio, 1952. 406 p. FREITAS, Bezerra de. Forma e expressão no romance brasileiro. Rio de Janeiro, Pongetti, 1947; p. 286-293. FREITAS, Newton de. Ensaios americanos. Buenos Aires, s.e., 1944. (Lima Barreto; p. 19-36.) PEREIRA, Astrojildo. Interpretações. Rio de Janeiro, Casa do Estudante do Brasil, 1944. (Romancistas da cidade, p. 49-113; Confissões de Lima Barreto, p. 114-132; A máscara do dr. Bogoloff, p. 133-144.) PEREIRA, Lúcia Miguel. Prosa de Ficção, de 1870 a 1920. Rio de Janeiro, J. Olympio, 1949; p. 274-304). SERPA, Phocion. Lima Barreto. Rio de Janeiro, Sauer, 1943. 77 p. SERPA, Phocion. Lima Barreto, romancista carioca. (In Federação da Academia de Letras. Conferências. IV. Rio de Janeiro, 1940; p. 167-215.)

BARRETO FILHO, João. 1908-   . Sob o olhar malicioso dos trópicos; romance. 2nd ed. Rio de Janeiro, Record, 1934. 195 p. (1st ed., 1929.)

BATINI, Tito. Filhos de povo. São Paulo, Ed. Civilização Brasileira, 1945.
A novelistic study of an anarchist free-love colony (based upon real life).

BELTRÃO, Luiz. Os senhores do mundo. Recife, Dôlha da Manhã, 1950. 175 p.
Romance nordestino.

BENEDETTI, Lúcia. Nocturno sem leito. Rio de Janeiro, Olympio, 1948. 263 p.

————. Vesperal com chuva. Rio de Janeiro, Gráfica Tupy, 1949. 150 p.
Short stories. Winner of Academy's Afonso Arinos Prize for 1949.

BEZERRA, João Climaco. Não há estrêlas no céu. Rio de Janeiro, J. Olympio, 1948. 227 p.
First novel by a young Cearense of life in a small town in the *sertão*.

BILAC, Olavo Braz Martins dos Guimarães, 1865-1918. Chronicas e novellas, 1893-1894. Rio de Janeiro, 1894. 300 p.

————. Contos para velhos. 1a série. Rio de Janeiro, Casa Mont' Alverne, 1897. 94 p.

————. Ironia e piedade. Rio de Janeiro, F. Alves, 1916. 288 p. (2nd ed., 1921. 302 p.)
Almost all material first published in the Gazeta de Noticias of Rio de Janeiro.

BORBA, Jenny Pimentel de. 40° a sombra. 3rd ed. Rio de Janeiro, Ed. Borba, 1944. 300 p. (1st ed., 1941.)
Other works of fiction: Mormaço, 1941; Brasa, 1942.

BORGES, José Carlos Cavalcanti. Padrão G. Rio de Janeiro, Agir, 1948. 154 p.
Short stories using the stream-of-consciousness technique.

BRANCO, Renato Castelo. Teodoro Bicanca. São Paulo, Instituto Progresso Editorial, 1948. 237 p.
A proletarian novel.

BRASILEIRO, Francisco. Morro Grande. São Paulo, Martins, 1947. 316 p.
A saga of plantation life.

————. Urutau e outros contos. São Paulo, Martins, 1949. 173 p.
Short stories of the *sertão*.

BRITO, Lasinha Luís Carlos de Caldas. A lua na poça da calçada. Romance. Rio de Janeiro, O Cruzeiro, 1949. 343 p.

CALMON, Pedro. A bala de ouro. História de um crime romântico. Rio de Janeiro, J. Olympio, 1947. 274 p.
Based upon an incident in Bahian history.

CAMINHA, Adolfo Ferreira, 1867-1897. Bom-crioulo. Rio de Janeiro, Domingos de Magalhães, 1895. (2nd ed., São Paulo, Fagundes, 1940.)

————. A normalista. Rio de Janeiro, Magalhães, 1892. (2nd ed., São Paulo, Fagundes, 1936.)

CRITICAL REFERENCES: PEREIRA, Lúcia Miguel. Prosa de Ficção, de 1870 a 1920. Rio de Janeiro, Olympio, 1949; p. 160-167. SILVEIRA, Décio Pacheco. Apresentação da 2a edição de A normalista. São Paulo, Fagundes, 1936; p. i-v.

CAMPOS, Eduardo. Face iluminada. Fortaleza, Ed. Clã, 1946. 124 p.
Short stories.

CAMPOS, Sabino de. Catimbó. Romance nordestino. Com um elucidário de expressões e curiosidades regionais. Prefácio de Catulo da Paixão Cearense. Rio de Janeiro, Z. Valverde, 1946. 399 p.
Regional novel.

CARDOSO, Joaquim Lúcio (filho), 1913- . O anfiteatro, novela. Rio de Janeiro, Agir, 1946. 277 p.

————. O desconhecido (novela). Rio de Janeiro, J. Olympio, 1941. 256 p.

————. Dias perdidos (romance). Rio de Janeiro, J. Olympio, 1943. 402 p.

————. Histórias da lagôa grande. Pôrto Alegre, Globo, 1939. 63 p.

————. Inácio. Rio de Janeiro, J. Olympio, 1944.

————. A luz no sub-solo, romance. Rio de Janeiro, J. Olympio, 1936. 429 p.

————. Maleita, romance. Rio de Janeiro, Schmidt, 1934. 288 p.

————. Mãos vazias (novela). Rio de Janeiro, J. Olympio, 1938. 181 p.

————. A professôra Hilda, novela. Rio de Janeiro, J. Olympio, 1946. 192 p.

————. Salgueiro, romance. Rio de Janeiro, J. Olympio, 1935. 299 p.

CRITICAL REFERENCES: ANDRADE, Almir de. Aspectos da cultura brasileira. Rio de Janeiro, Schmidt, 1939. (Lúcio Cardoso e Graciliano Ramos, p. 96-100.) BARROS, Jaime de. Espelho dos livros. Rio de Janeiro, J. Olympio, 1936. (Um paisagista dos grandes cenários, p. 215-226.) On first two Naturalist novels. SODRÉ, Nelson Werneck. Orientações do pensamento brasileiro. Rio de Janeiro, Vecchi, 1942; p. 169-183.

CARNEIRO, Cecílio J., 1911- . Pecado nos trópicos. Rio de Janeiro, J. Olympio, 1948. 269 p.
Novel about the Amazon.
Other works: A fogueira, 1941.

CARVALHO, Jarbas de. Dez noites de amor. Rio de Janeiro, A Noite, 1950? 229 p.
Short stories.

CASTANHO, César Arruda. Um pingo no mapa. São Paulo, Editôra Brasiliense, 1950. 224 p.
Story of a year in the life of a small town in the state of São Paulo.

CAVALCANTI, Domingos Olympio Braga, 1850-1906. Luzia-Homem (por). . . . 2nd ed. Rio de Janeiro, Castilho, 1929. 326 p. (1st ed., 1903.)
Naturalist novelist.
Other works: O negro, O almirante.

————. ————. Águas fortes originais de Clóvis Graciano. Rio de Janeiro, Gráfica de Artes, 1947, i.e., 1949. 333 p.

CRITICAL REFERENCE: PEREIRA, Lúcia Miguel. Prosa de Ficção, de 1870 a 1920. Rio de Janeiro, Olympio, 1949; p. 195-199.

CAVALCANTI, José Lins do Rêgo, 1901- . Água-mãe. Prêmio de 1941 da Sociedade Felipe d'Oliveira. 2nd ed. Rio de Janeiro, J. Olympio, 1941. 362 p. (1st ed., 1941.)

Lins do Rêgo has been called the novelist of the *Nordeste*.

————. Banguê; romance. 2nd ed. Rio de Janeiro, J. Olympio, 1943. 379 p. (1st ed., 1934.)
His Ciclo da cana de açucar.

————. Doidinho; romance. 3rd ed. Rio de Janeiro, J. Olympio, 1937. 278 p. (1st ed., 1933. 4th ed., 1943.)
His Ciclo da cana de açucar.

————. Eurídice, romance. 1st ed. Rio de Janeiro, J. Olympio, 1947. 284 p.

————. Fogo morto, romance. Prefácio de Otto Maria Carpeaux, apêndice de Álvaro Lins. 2nd ed. Rio de Janeiro, J. Olympio, 1944. 370 p. (1st ed., 1943.)

————. História da Velha Totonha. Rio de Janeiro, J. Olympio, 1936. 114 p.
Short stories.

————. Menino de engenho. 3rd ed. Notes by Pedro Dantas. Rio de Janeiro, 1939. 223 p. (1st ed., 1932. 4th ed., Rio, 1943.)
His Ciclo da cana de açucar, I.

————. O moleque Ricardo. 2nd ed. Revised. Rio de Janeiro, J. Olympio, 1936. 282 p. (1st ed., 1935. 3rd ed., 1940.)
His Ciclo da cana de açucar, IV.

————. Obras. Rio de Janeiro, J. Olympio, 1947——. 11 v.
Contents: 1-2. Menino de engenho, 5th ed.; Doidinho, 5th ed.; 3. Banguê, 3rd ed.; 4. O moleque Ricardo, 4th ed.; 6. Pureza, 4th ed.; 7. Pedra bonita, 4th ed.; 8. Riacho doce, 2nd ed.; 9. Água-mãe, 3rd ed.; 10. Eurídice, 3rd ed.; 11. Fogo morto, 3rd ed.

————. Pedra bonita, romance. Rio de Janeiro, J. Olympio, 1938. 373 p 1st ed.

————. Pureza, romance. Rio de Janeiro, J. Olympio, 1937. 347 p. 1st ed.

————. Riacho doce, romance. Rio de Janeiro, J. Olympio, 1939. 372 p 1st ed.

———. A Usina, romance. Rio de Janeiro, J. Olympio, 1936. 392 p. 1st ed. (2nd ed., 1940.)
His Ciclo da cana de açucar, V.

CRITICAL REFERENCES: ANDRADE, Almir de. Aspectos da cultura brasileira. Rio de Janeiro, Schmidt, 1939. (José Lins do Rêgo; p. 100-107; O romance e o romancista; p. 121-135.) BARROS, Jaime de. Espelho dos livros. Rio de Janeiro, J. Olympio, 1936. (O drama econômico no romance, p. 101-115.) DANTAS, Pedro. (Prudente de Morais Netto.) Prefácio da 3a edição do Menino de Engenho. Rio de Janeiro, J. Olympio, 1939; p. vii-xiv. ELLISON, Fred P. Brazil's New Novel; Four Modern Masters: José Lins do Rêgo, etc. Berkeley and Los Angeles, Univ. of Calif. Press, 1954. xiii, 191 p. LINS, Álvaro. Jornal de Crítica. 4a série. Rio de Janeiro, J. Olympio, 1946. (Um novo romance dos engenhos, p. 100-107.) LINS, Álvaro, Otto Maria Carpeaux; and Franklin M. Thompson. José Lins do Rêgo. Rio de Janeiro, Ministério da Educação e Saúde, 1952. 38 p. Chiefly concerned with Fogo morto. MONTEIRO, Adolfo Casais. O romance e os seus problemas. Lisboa, Casa do Estudante do Brasil, 1950. (José Lins do Rêgo e o ciclo da Cana do Açucar; p. 143-157.) MONTENEGRO, Olívio. O romance brasileiro. Rio de Janeiro, J. Olympio, 1938; p. 131-143. An excellent study. SIMÕES, João Gaspar. Crítica. Pôrto, Livraria Latina, 1942. (José Lins do Rêgo; p. 174-203.) SODRÉ, Nelson Werneck. Orientações do pensamento brasileiro. Rio de Janeiro, Vecchi, 1942. (Sôbre José Lins do Rêgo; p. 125-149.)

CAVALCANTI, Pedro de Oliveira. Perigo, escavações na linha. Rio de Janeiro, O Cruzeiro, 1950. 249 p.
Novel.

CHAOUL, Elóra Possólo. A outra e outros contos. Rio de Janeiro, Imprensa Nacional, 1947. 114 p.

COARACY, Vivaldo. O contador de histórias. São Paulo, Melhoramentos, 1950. 94 p.
Fables of our time.

———. Couves da minha horta. Rio de Janeiro, J. Olympio, 1949. 281 p.
Crônicas.

———. Pôr-do-sol na ilha. Rio de Janeiro, J. Olympio, 1952. 321 p.
Collection of *crônicas* commenting on the surroundings of the Island of Paquetá.

COELHO NETO, Henrique Maximiano, 1864-1934. A conquista. 3rd ed. Pôrto, Chardron, 1921. iii, 454 p.

———. A Capital Federal. Rio de Janeiro, Tip. O País, 1893.

———. Esfinge. 2nd ed. Pôrto, Chardron, 1920. 232 p. (1st ed., 1908.)

———. Fogo fátuo. Pôrto, Lello, 1928.

———. Inverno em flor. Rio de Janeiro, Laemmert, 1897.

———. O jardim das oliveiras. 3rd ed. Pôrto, Livr. Chardron, 1921. 218 p. (1st ed., 1908.)
Short stories.

———. Miragem. Rio de Janeiro, Domingos de Magalhães, 1895.

———. O morto. Rio de Janeiro, Laemmert, 1898.

———. O rei fantasma; romance. Rio de Janeiro, Domingos de Magalhães, 1895. 300 p.

———. Rei negro. Pôrto, Lello, 1914. Ed., Pôrto, Chardron, 1914. 461 p.

———. Seara de rute. Rio de Janeiro, Domingos de Magalhães, 1898.

———. O sertão. 3rd ed. Pôrto, Livr. Chardron, 19—? 378 p. (1st ed., 1896. Several editions.)

———. A tormenta; romance. Rio de Janeiro, Laemmert, 1900. 271 p. 1st ed.

———. O turbilhão. Rio de Janeiro, Laemmert, 1906.

CRITICAL REFERENCES: FONTOURA, João Neves da. Elogio de Coelho Neto. Com uma antologia de seus contos. Lisboa, Ultramar, 1944. 236 p.
MORAIS, Péricles de. Coelho Neto e sua obra. Pôrto, Lello, 1926. 272 p.
NETO, Paulo Coelho. Coelho Neto. Rio de Janeiro, Z. Valverde, 1942. 399 p. Includes bibliography of the works of Coelho Neto.

CORÇÃO, Gustavo. Lições do abismo; romance. Rio de Janeiro, Agir, 1951. 340 p.

CORDEIRO, Maria Luísa. Quando morre o outono. Pôrto Alegre, Globo, 1949. 262 p.
Chronicle of middle-class life in São Paulo.

————. Um olhar para a vida. Pôrto Alegre, Globo, 1945. 272 p.
Novel awarded the Alcântara Machado Prize of the Academy of Letters of São Paulo.

————. Onde o céu comença. Romance. Pôrto Alegre, Globo, 1946. 299 p.

COUTINHO, Galeão. Confidências de Dona Marcolina. São Paulo, Saraiva, 1949. 229 p.
A series of humorous episodes of life in São Paulo today.

————. O último dos morungabas. São Paulo, Ed. Assunção, 1944. 226 p.
This novel is a sequel to Vovô Morungaba, 1938.
Other works: Memórias de Simão, o caolho, 1937.

COUTO, Ruy Ribeiro, 1898-   . Bahianinha e outras mulheres, contos. Rio de Janeiro, Anuário do Brasil, 1927. 239 p.

————. Cabocla; romance. 2nd ed. São Paulo, Editôra Nacional, 1939. 226 p. (1st ed., 1931.)

————. Chão de Frauça. São Paulo, Editôra Nacional, 1935. 202 p.

————. Conversa inocente, crônica. Rio de Janeiro, Schmidt, 1935. 244 p.

————. Correspondência. In collaboration with Adolfo Casais Monteiro. 1933.

————. Largo da matriz, e outras histórias. Rio de Janeiro, Getúlio M. Costa, 1940. 224 p.

————. Mal du pays. Paris, La Presse à bras, 1949. 16 p.

————. Uma noite de chuva, e outros contos. Com ilustrações de Antônio Decosta. Lisboa, Inquérito, 1944. 266 p.

————. Prima Belinha. Rio de Janeiro, Civilização Brasileira, 1940. 219 p.
See entries on Poetry for critical references.

CORRÊA, Dutra Lia, 1908-   . Navio sem pôrto. Rio de Janeiro, J. Olympio, 1943.
Collection of short stories awarded the Prêmio Humberto de Campos.

COX, Dilermando Duarte. Os párias da cidade maravilhosa. Rio de Janeiro, J. Olympio, 1950. 232 p.
Novel.

CRULS, Gastão Luís, 1888-   . A Amazônia misteriosa, romance. 3rd ed. São Paulo, Editôra Nacional, 1939. 321 p. (1st ed., 1925.)
Cruls was one of the discoverers of Brazilian reality.
See Criticism, Essay, Journalism, and Biography.

————. Ao embalo da rêde, contos. Rio de Janeiro, Castilho, 1923. 215 p.

————. Coivara, contos. 3rd ed. Rio de Janeiro, Oficina Industrial Gráfica, 1931. 283 p. (1st ed., 1920.)

————. Contos reunidos: Coivara; Ao embalo da rêde; quatuor; História puxa história. Rio de Janeiro, J. Olympio, 1951. 378 p.

————. A creação e o creador. São Paulo, Editôra Nacional, 1928. 270 p.

————. Elsa e Helena, romance. Rio de Janeiro, Castilho, 1927. 253 p. 1st ed.

————. História puxa história, contos. Rio de Janeiro, Ariel, 1938. 274 p.

————. Vertigem, romance. Rio de Janeiro, Ariel, 1934. 263 p. 1st ed.

CRITICAL REFERENCES: BARROS, Jaime de. Espelho dos livros. Rio de Janeiro, J. Olympio, 1938; p. 265-270. MONTENEGRO, Olívio. O romance brasileiro. Rio de Janeiro, J. Olympio, 1938; p. 185-191.

CRUSOÉ, Romeu. A maldição de Canaan. Rio de Janeiro, Di Giorgio, 1951. 231 p.
Novel about racial discrimination.

CRUZ, Eddy Dias da (pseud., Marques Rebêlo), 1907- . A estrêla sobe, romance. Rio de Janeiro, J. Olympio, 1949. 260 p. (1st ed., 1938.)

———. La estrella sube. Traducción de Raúl Navarro. Buenos Aires, Editorial Hemisferio, 1952. 206 p.
Spanish translation of A estrêla sobe.

———. Marafa. 2nd ed. Revised, Rio de Janeiro, O Cruzeiro, 1947. 217 p. (1st ed., 1935.)

———. Oscarina. Rio de Janeiro, Schmidt, 1931. 2nd ed., Rio, Olympio, 1937.

———. Pequena história de amor. Rio de Janeiro, Editôra Critança Ltda., 1942. 60 p.
"Romance para crianças."

———. Stela me abriu a porta. Pôrto Alegre, Globo, 1942. 171 p.
Short stories.

———. Suite no. 1. Rio de Janeiro, Irmãos Pongetti, 1944. 148 p.

———. Três caminhos. Rio de Janeiro, Ariel, 1933.

CRITICAL REFERENCES: ANDRADE, Mário de. O empalhador de passarinho. São Paulo, Martins, 1946. (A estrêla sobe; p. 111-114.) ATHAYDE, Tristão de. Estudos. 5a série. Rio de Janeiro, Civilização Brasileira, 1935; p. 34-40. FRANCO, Afonso Arinos de Melo. Portulano. São Paulo, Martins, 1945. (Contos, p. 54-61.)

CUNHA, José Gayda. Um brasileiro na guerra espanhola. Pôrto Alegre, Globo, 1946. 204 p.

CUNHA, José Maria Leitão da, 1878-1942. Histórias do bem e do mal (contos, por Tristão da Cunha, pseud.). Rio de Janeiro, Felipe d'Oliveira, 1936. 198 p.

DAMATA, Gasparino. Queda em Ascensão. Rio do Janeiro, O Cruzeiro, 1951. 207 p.
Semiautobiographical story of a Brazilian serving on a U.S. ship during World War II.

DANTAS, Raymundo de Souza. Solidão nos campos. Pôrto Alegre, Globo, 1949. 182 p.
Hero considered by Dimmick as one of the most baffling in modern Brazilian fiction.

DELFINO, Álvaro. Encontro com a vida. Pôrto Alegre, Globo, 1951. 212 p.
Novel.

DONATO, Mário. Galatéia e o fantasma; romance. Rio de Janeiro, J. Olympio, 1951. 293 p.

———. Presença de Anita. Rio de Janeiro, J. Olympio, 1948. 257 p.

DUPRÉ, Sra. Leandro Maria José. A casa do ódio. São Paulo, Editôra Brasiliense, 1951. 223 p.
Novel of middle-class life, and short stories. Sra. Dupré has been one of Brazil's best sellers.

———. Dona Lola. Continuação de Éramos seis! São Paulo, Editôra Brasiliense, 1949. 218 p.
Deals with the effects of World War II on middle-class Brazilian society.

———. Éramos seis; romance. Prefácio de Monteiro Lobato. São Paulo, Nacional, 1943. 272 p.

———. Os Rodriguez. 2nd ed. São Paulo, Ed. Brasiliense, 1946. 251 p.

———. O romance de Teresa Bernard. 1943.

DUTRA, Lia Corrêa. Navio sem pôrto. Rio de Janeiro, J. Olympio, 1943. 266 p.
Novel was awarded the Prêmio Humberto de Campos in 1943.

FAGUNDES JÚNIOR, João Peregrino da Rocha, 1898- . Histórias da Amazônia. Rio de Janeiro, J. Olympio, 1936.

————. Passanga. Rio de Janeiro, Tip. Hispano-Americana, 1929. 3rd ed., Rio, Ipiranga, 1931.

CRITICAL REFERENCE: CAMPOS, Humberto de. Crítica. V. III. Rio de Janeiro, J. Olympio, 1935. (Peregrino Júnior; p. 133-148.)

FAGUNDES, Ligia. O cacto vermelho. Rio de Janeiro, Mérito, 1949. 261 p.
Short stories awarded prize by Brazilian Academy of Letters.
Other works: Praia viva; Porão e sobrado, 1938.

FARHAT, Emil. Cangerão. Rio de Janeiro, J. Olympio, 1939. 209 p.
Documentary about forgotten children in the mining areas of the interior.

FARIA, Otávio de, 1908-   . O anjo de pedra. (O senhor do mundo. I.) Romance. Rio de Janeiro, J. Olympio, 1944. 659 p.
His Tragédia burguesa, IV. Tragédia planned for 20 vols.

————. Os caminhos da vida (Mundos mortos, II). Romance. Rio de Janeiro, J. Olympio, 1939. 2 v.
His Tragédia burguesa, II.

————. O lobo das ruas (Os Paivas, I). Romance. Rio de Janeiro, J. Olympio, 1942. 2 v.
His Tragédia burguesa, III.

————. Os loucos. Rio de Janeiro, J. Olympio, 1952. 440 p.
His Tragédia burguesa, VI.

————. Mundos mortos. Romance. Rio de Janeiro, J. Olympio, 1937. 451 p. (2nd ed., 1949.)
His Tragédia burguesa, I.

————. Os renegados (O lodo das ruas, II). Romance. Rio de Janeiro, J. Olympio, 1947. 590 p.
His Tragédia burguesa, V.
Awarded the Prêmio Felipe d'Oliveira.

CRITICAL REFERENCES: ANSELMO, Manuel. Família literária luso-brasileira. Rio de Janeiro, J. Olympio, 1943. (A densidade romanesca em Otávio de Faria; p. 232-237.) FRANCO, Afonso Arinos de Melo. Mar de sargaços. São Paulo, Martins, 1944.

(Tragédia da burguesia; p. 64-71.) LINS, Álvaro. Jornal de crítica. 2a. série. Rio de Janeiro, J. Olympio, 1943. (Processo da Burguesia; p. 95-104.) PONTES, Eloy. Romancistas. Curitiba, Guaíra, 1942; p. 91-100.

FARO, Luiz Flávio de. Além da fronteira da vida. Novela de aventuras. Rio de Janeiro, Livr. Agir, 1946. 253 p.
Mystery story.

FERRAZ, Enéas, 1896-   . História de João Crispim. Rio de Janeiro, Schetino, 1923. 245 p.
Other works: Adolescência tropical, 1934; and Uma família carioca, 1934.

FERREIRA, Ondina. Casa de pedra. Romance. Capa de Tarsila Amaral. São Paulo, Saraiva, 1952. 360 p.

————. Navio ancorado. São Paulo, Saraiva, 1948. 230 p.
The Grand Hotel theme applied to an apartment house in São Paulo.

FIGUEIREDO, Guilherme. Rondinella. Rio de Janeiro, O Cruzeiro, 1943.
A novel and 20 short stories. Compared to Chekhov and Gogol.

————. Trinta anos sem paisagem; romance. Rio de Janeiro, J. Olympio, 1939. 258 p.

FISHER, Almeida. Horizontes noturnos. Rio de Janeiro, A Noite, 1947. 186 p.
Short stories.

FONSECA, Emi Bulhões Carvalho da. Anoiteceu na Charneca. Rio de Janeiro, O Cruzeiro, 1951. 236 p.
Novel.

————. O oitavo pecado. Rio de Janeiro, O Cruzeiro, 1947. 249 p.
Novel that won the Brazilian Academy of Letters Prize.

————. Pedras altas. Rio de Janeiro, O Cruzeiro, 1949. 327 p.
Novel about slave days.

FONTES, Amando, 1899-   . Os corumbas. Romance. Prêmio Felipe d'Oliveira. 6a ed. Rio de Janeiro, J. Olympio, 1946. 270 p. First published in 1933.
Nordestino writer of urban life.

————. Rua do Siriri. Rio de Janeiro, J. Olympio, 1937. 365 p.

CRITICAL REFERENCES: ANSELMO, Manuel. Família literária luso-brasileira. Rio de Janeiro, J. Olympio, 1943. (Amando Fontes, romancista da fatalidade; p. 238-243.) BARROS, Jaime de. Espelho dos livros. Rio de Janeiro, J. Olympio, 1936. (Os corumbas e o Prêmio da Sociedade Felipe d'Oliveira; p. 127-132.) LINS, Álvaro. Jornal de crítica. 5a série. Rio de Janeiro, J. Olympio, 1947; p. 146-151. MONTENEGRO, Olívio. O romance brasileiro. Rio de Janeiro, J. Olympio, 1938; p. 156-164.

FONTOURA, Amaury de Bustamante. Através dos mares. Episódios da vida do mar narrados por um capitão mercante. Rio de Janeiro, Tupã, 1951? 234 p.

FRANCO, Afonso Arinos de Melo, 1868-1916. Os Jagunços; novela sertaneja. São Paulo, O Comércio de São Paulo, 1898. 2 v. in 1. Published under the pseud. Olivio de Barros.
Franco was a regional writer of the pre-*Modernista* period.
Other works: Histórias e paisagens, and O Mestre de campo, 1918.

————. Lendas e tradições brasileiras, 1917.

————. Notas do dia. Commemorando. São Paulo, Typ. Andrade, Mello e Cia., 1900. 308, ii p.

————. Pelo sertão, contos. 4th ed. Rio de Janeiro, Briguiet, 1936. 153 p. (1st ed., 1898. 5th ed., Rio, Briguiet, 1947.)

CRITICAL REFERENCES: LIMA, Alceu Amoroso. Affonso Arinos. Rio de Janeiro, Anuário do Brasil, 1922. xxii, 197 p. Basic work on Afonso Arinos. MATOS, Mário. O último bandeirante. Belo Horizonte, Os Amigos do Livro, 1935. 172 p.

FREIRE, Ezequiel. Trabalhos em prosa de. . . . (*In* Revista do arquivo municipal, ano 16, no. 131, fev., 1950; p. 59-76.)
Brief selections from his articles.

CRITICAL REFERENCES: CORDEIRO, José Leite. Ezequiel Freire. (*In* Revista do arquivo municipal, ano 16, no. 131, fev., 1950; p. 47-51.) Short study of a minor Romantic and his work. FREIRE, Hilário. Uma ressurreição literária. Sôbre o "Livro Póstumo" de Ezequiel Freire. (*In* Revista do arquivo municipal, ano 16, no. 131, fev., 1950; p. 7-16.) QUEIROZ, Wenceslau de. Ezequiel Freire. A guisa de prefácio. (*In* Revista do arquivo municipal, ano 16, no. 131, fev., 1950; p. 17-45.)

FREITAS, Newton. Jaburuna. Introd. por Lorenzo Varela. Buenos Aires, Ediciones Botella al Mar, 1949. 141 p.
Short stories written in Spanish.

FRIEIRO, Eduardo. O brasileiro não é triste. Belo Horizonte, Os Amigos do Livro, 1931. 76 p.

————. O cabo das tormentas; romance. Belo Horizonte, Os Amigos do Livro, 1936. 271 p.

————. O Club dos graphomanos. Rio de Janeiro, Belo Horizonte, Edições Pindorama, 1927. 206 p.

————. Inquietude, melancolia. Belo Horizonte, Edições Pindorama, 1930. 262 p. Sketches.

————. O mameluco Boaventura. Belo Horizonte, Edições Pindorama, 1929. 228 p.
Novel.

FURTADO, Celso. De Nápoles a Paris. Contos da vida expedicionária. Rio de Janeiro, Z. Valverde, 1946. 104 p.
Dealing with experiences in World War II.

GOMES, Antônio Osmar. A greve. Romance. Rio de Janeiro, Z. Valverde, 1945. 328 p.
Novel with a background of social struggle.

GUIMARAENS, Hilda de Almeida Leite (pseud. Ancilla Domini). Na intimidade e outros contos. Petrópolis, Vozes, 1947. 180 p.

GUIMARAENS, João Alphonsus de, 1901-1944. Eis a noite. São Paulo, Martins, 1943.

————. Galinha cega. Belo Horizonte, Os Amigos do Livro, 1931. Short stories.

————. Pesca da baleia. Belo Horizonte, Paulo Bluhm, 1942.

————. Rola-moça. Rio de Janeiro, J. Olympio, 1938. 271 p.

————. Totônio Pacheco, romance. São Paulo, Editôra Nacional, 1935. 256 p.

CRITICAL REFERENCES: ANDRADE, Carlos Drummond de. Personagens de João Alphonsus. (*In* Correio da Manhã. Rio de Janeiro, 18 de setembro de 1949.) ANSELMO, Manuel. Família literária luso-brasileira. Rio de Janeiro, J. Olympio, 1943; p. 278-281. MONTENEGRO, Tulo Hostílio. Tuberculose e literatura. Rio de Janeiro, s.e., 1949; p. 202-209.

GUIMARAENS, Luís Caetano Pereira (júnior), 1847-1898. Carlos Gomes; perfil biográphico. Rio de Janeiro, Garnier, 1870. 71 p.

————. Curvas e zig-zags; caprichos humorísticos. Rio de Janeiro, Garnier, 1871. 264 p.

————. Filigranas. Rio de Janeiro, B. L. Garnier, 188-? x, 242 p. (1st ed., 1872.)
Sketches.

————. Histórias para gente alegre: A família Agulha; D. Cornelia Fortunata. Rio de Janeiro, B. L. Garnier, 1870.

————. Lyrico branco; tentativa de romance. Precedido de um juizo crítico do dr. Rodrigo Octavio de Souza Menezes. São Paulo?, 1862. 60 p.

GUIMARÃES, Bernardo Joaquim da Silva, 1825-1884. O bandido do Rio das Mortes, romance histórico. São Paulo,

Monteiro Lobato, 1922. 126 p. (1st ed., 1904.)
Sequel to Mauricio.

————. O ermitão de Muquém, ou História da fundação da romaria de Muquém na provincia de Goyas. Rio de Janeiro, H. Garnier (1898). xxiii, 216 p. (Ed., Rio, Garnier, 1865.)
Historical novel.

————. A escrava Isaura; romance. Nova ed. Rio de Janeiro, Paris, Garnier, 1910. 276 p. (1st ed., 1875.)

————. ————. Lisboa, Empresa Lusitana Editôra, 192-? 283 p.

————. O garimpeiro, romance. Rio de Janeiro, Paris, Garnier, 1941. 247 p. (1st ed., 1872.)

————. Histórias e tradições da provincia de Minas-Geraes. Rio de Janeiro, Garnier, 1911. 263 p. (1st ed., Rio, Garnier, 1872.)

————. A ilha maldita. O pão de ouro, romances. Rio de Janeiro, H. Garnier, 1879. 314 p.

————. O índio Afonso. Rio de Janeiro, Garnier, 1873.

————. Lendas e romances: Uma história de quilombolas. A garganta do inferno. A dança dos ossos. São Paulo, Martins, 194-? 178 p. (1st ed., 1871.)

————. Mauricio; ou Os Paulistas em São João d'El Rei. Rio de Janeiro, Garnier, 1877. 2 v. 1st ed.

————. ————. 2nd ed. Rio de Janeiro, Briguiet, 1941. 444 p.

————. Obras. Ed. by M. Nogueira da Silva. Rio de Janeiro, Briguiet, 1941. 13 v.
Contents: 1. Poesias; 2. O ermitão de Muquém; 3. Lendas e romances; 4. O garimpeiro; 5. O seminarista, 10th ed.; 6. O índio Afonso; 7. A escrava Isaura, 11th ed.; 8. Histórias e tradições; 9. Mauricio; ou Os Paulistas em São João d'El Rei; 10. A ilha maldita; 11. Rosaura a enjeitada; 12. O bandido do Rio das Mortes; 13. A voz do Pagé.

————. Quatro romances. São Paulo, Martins, 1944.
Contents: O ermitão de Muquém. O seminarista. O garimpeiro. O índio Afonso.

————. Rosaura a enjeitada. Rio de Janeiro, Paris, Garnier, 1914. 2 v. (1st ed., 1883.)

————. O seminarista. Rio de Janeiro, Civilização Brasileira, 1931. 172 p. (1st ed., 1872. 10th ed. Rio, Briguiet, 1931. 158 p.)

CRITICAL REFERENCES. COELHO, JOSÉ Maria Vaz Pinto. Poesias e romances do dr. Bernardo Guimarães. Rio de Janeiro, Laemmert, 1885. 225 p. CRUZ, Dilermando. Bernardo Guimarães. Juiz de Fora, Costa e Cia., 1911. 198 p. MAGALHÃES, Basilio de. Bernardo de Guimarães. Rio de Janeiro, Anuário do Brasil, 1926. 338 p.

GUIMARÃES, Ruth. Água funda. Romance. Pôrto Alegre, Globo, 1946. 201 p.

HOLANDA, Gastão de. Zona de silêncio. Recife, TEP, 1951. 111 p.
Short stories.

JARDIM, Luís, 1901-   . As confissões de meu tio Gonzaga. Rio de Janeiro, J. Olympio, 1949. 306 p.
First novel by a famous illustrator.

————. O boi aruá. Rio de Janeiro, Alba, 1940. 148 p.

————. Maria perigosa; contos. Prêmio Humberto de Campos de 1938. Rio de Janeiro, J. Olympio, 1939. 200 p.

JOBIM, Rubens Mário. Sargento Fortuna e outros contos. Rio de Janeiro, Aurora, 1950. 204 p.
Short stories dealing with military life.

JÚNIOR, Antônio Papi, 1854-1934. Gêmeos. Pôrto, Impr. Moderna, 1914.
Naturalist novelist.

————. Sem Crime. São Paulo, Revista do Brasil, 1920.

————. O Simas. Fortaleza, Tip. Universal, 1898.

JÚNIOR, Luiz Gonzaga Novelli. Não era a estrada de Damasco. Rio de Janeiro, 1948. 301 p.
Novel.

JURANDIR, Dalcídio. Marajó. Rio de Janeiro, J. Olympio, 1947. 325 p.
Novel.
Other work: Chove nos campos de Cachoeira, 1941.

KELLY, Celso. Temperamentos. Rio de Janeiro, Edições Gráfica Tupy Limitada, 1950? 167 p.
Short stories.

LANDIM, José Ferreira. O barranco. Rio de Janeiro, O Cruzeiro, 1950. 258 p.
Story of an orphan.

LEAL, Alberto. Retrato de Luciano. São Paulo, Saraiva, 1952. 187 p.
Novel.

LEÃO, Sylvia. White Shores of Olinda. New York, The Vanguard Press, 1943.
Brazilian novel, written directly in English without benefit of translator, dealing with the lives of fishermen in northern Brazil.

LESSA, Orígenes Themudo, 1903-   . A desintegração da morte.
Short stories.
Other works of fiction: O escritor proibido, 1929; Garçon, garçonete, garconière, 1930; A cidade que o diablo esqueceu, 1931; Passa-três, 1935; and O joguete, 1937.

————. O feijão e o sonho. Rio de Janeiro, 1948. 202 p. (1st ed., 1938.)
Novel.

LIMA, Jorge de, 1895-   . O anjo, romance. 2nd ed. Rio de Janeiro, G. Costa, 1941. 132 p. (1st ed., 1934.)

————. Calunga. 2nd ed. Rio de Janeiro, Alba, 1943. 251 p. (1st ed., 1935.)

————. Calunga; versión castellana y prólogo de Ramón Prieto. Buenos Aires, Editorial Americalee, 1941, 229 p.
Spanish translation.

————. Guerra dentro de beco; romance. Capa de Santa Rosa. Rio de Janeiro, A Noite, 1950. 285 p.

————. A mulher obscura, romance. Rio de Janeiro, J. Olympio, 1939. 300 p.
For critical references see entries on Poetry.

LISPECTOR, Clarice. Alguns contos. Rio de Janeiro, Ministério da Educação e Saúde, Serviço de Documentação, 1952. 51 p.

————. Perto do coração selvagem. Rio de Janeiro, A Noite, 1943. 217 p.
Romance introspectivo.

CRITICAL REFERENCE: CHAGAS, Wilson. Clarice Lispector. (*In* Provincia de São Pedro, no. 15, 1951; p. 90-92.)

LOBATO, José Bento Monteiro, 1883-1948. Cidades mortas. Contos. São Paulo, Ed. Brasiliense, 1946. 272 p. (1st ed., 1919.)

————. Idéias de Jeca Tatú. São Paulo, Ed. Brasiliense, 1946. 275 p. (1st ed., 1919.)

————. O macaco que se fez homem. 1923.
Short stories.

————. Obras completas. São Paulo, Brasiliense, 1946-1947. 13 v.
Short stories are in vols. I-III.

————. Negrinha. Contos. São Paulo, Ed. Brasiliense, 1946. 298 p. (1st ed., 1920.)

————. Urupês. Contos. Notas biográficas e críticas organizadas por Artur Neves. São Paulo, Ed. Brasiliense, 1946. 278 p. (1st ed., 1918.)

CRITICAL REFERENCES: CONTE, Alberto. Monteiro Lobato. O homem e a obra. São Paulo, Brasiliense, 1948. 289 p. GOLDBERG, Isaac. Brazilian Literature. New York, Alfred A. Knopf, 1922. (Monteiro Lobato; p. 277-291.) LOYOLA, Leônidas de. Urupês e o sertanejo brasileiro. Curitiba, Tip. de A República, 1919. 37 p. NEVES, Artur. Introdução da Edição Ônibus de Urupês. São Paulo, Editôra Nacional, 1943; p. xi-xli. With bibliography. VENÂNCIO, Francisco (filho). Monteiro Lobato e a litera-

tura infantil. (*In* Rev. educ. públ., Rio de Janeiro, III, 12, out-dez. p. 492-507.)

LOBO, Artur. 1869-1901. O outro. Belo Horizonte, Imprensa Oficial, 1901.

————. Rosais. Belo Horizonte, Tip. Diário de Minas, 1899.

CRITICAL REFERENCE: GRIECO, Agrippino. Evolução da prosa brasileira. 1933. (2nd ed. Rio de Janeiro, J. Olympio, 1947; p. 88-89.)

LOPES NETO, João Simões, 1865-1916. Casos do Romualdo. Contos gauchescos. Pôrto Alegre, Globo, 1952. 201 p.

————. Contos gauchescos. Pelotas, Echenique e Cia., 1912. 1st ed.

————. Contos gauchescos e Lendas do sul. Edição crítica por A. Buarque de Hollanda. Pôrto Alegre, Globo, 1926.

————. Lendas do sul. Pelotas, Echenique e Cia., 1913. 1st ed.

CRITICAL REFERENCE: REVERBEL, Carlos. J. Simões Lopes Neto; esbôço biográfico. Posfácio da edição crítica de Contos gauchescos. Lendas do sul. Pôrto Alegre, Globo, 1949; p. 417-438.

LÚCIO, João. Pontes e Cia. 2d ed. Belo Horizonte, Livr. Cultura Brasileira, 1944. 192 p.
Novel about life of *mineiros.*

MACEDO, Agnelo. Nossa Senhora das Perdidas. São Paulo, Martins, 1948. 199 p.
Short stories.

MACEDO, Joaquim Manuel de, 1820-1882. A baronesa de amor; romance brasileiro, 2nd ed. Rio de Janeiro, H. Garnier, 1896. 2 v.
Founder of the Brazilian novel; Romantic.

————. A carteira de meu tio. 4d ed. Rio de Janeiro, Garnier, 1937. 255 p.

————. Culto do dever; romance. Rio de Janeiro, Garnier, 1865. 311 p.

————. Os dois amores, romance brasileiro. 3rd ed. Rio de Janeiro, D. J.
Gomes Brandão, 1862. 2 v. (1st ed.,
1848. Ed., Rio, Garnier, 1928? 2 v.)

————. O forasteiro, romance brasileiro.
2nd ed. Rio de Janeiro, Garnier, 1856.
3 v.

————. A luneta mágica. Rio de Janeiro, Garnier, 1869.

————. Mazellas de actualidade. (Ro-
mances de improviso.) Por Minimo
Sovoro (pooud.), Voraçom. Rio de
Janeiro, Tip. do Imperial Instituto
Artístico, 1867. vii, 104 p.

————. Memórias da rua do Ouvidor.
Rio de Janeiro, 1878. 332 p.

————. Memórias do sobrinho de meu
tio. (Continuação da Carteira de meu
tio.) Nova ed. Rio de Janeiro, Garnier, 1904. xvii, 350 p. (Ed., Rio,
Laemmert, 1867-1868. 2 v.)
A work of political and social satire.

————. O moço loiro, romance popular.
São Paulo, Editôra Nacional, 192-?
358 p. (1st ed., 1845. Other editions:
Rio de Janeiro, Garnier, 1927? 2 v.
São Paulo, Ed. Cultura, 1943.)

————. A moreninha. Ilustrações de
Noemia, prefácio de Rachel de Quiroz.
Rio de Janeiro, Z. Valverde, 1945.
254 p. (1st ed., 1844.)

————. As mulheres de mantilha, romance histórico. Rio de Janeiro, Editôra Aurora, 1944? 285 p.

————. ————. Rio de Janeiro, Garnier, 1870-1871. 2 v.

————. A nomoradeira; romance. Rio
de Janeiro, 1870. 3 v.

————. Nina, romance. 2nd ed. Rio de
Janeiro, Garnier, 1871. 2 v.

————. Um noivo e duas noivas; romance. Rio de Janeiro, Garnier, 1872.
3 v. (1st ed., 1871.)

————. Os quatro pontos cardiais. Misteriosa; romances. Rio de Janeiro,
Garnier, 1872. 348 p.

————. Rosa, O rio do quarto. Uma
paixão romântica. O veneno das
flores. Romances. São Paulo, Martins,
1945. 530 p.

————. O Rio quarto; romance. Rio de
Janeiro, Editôra Aurora, 1944? 173
p.

————. Romances da semana. Rio de
Janeiro, D. J. Gomes Brandão, 1861.
378 p.

————. Rosa. Rio de Janeiro, Oficinas
Gráficas do Jornal do Brasil, 1931.
3 v. (1st ed., 1851.)

————. Vicentina; romance. Rio de Janeiro, 1853. 3 v. 1st ed.

————. As victimas-algoces, quadros da
escravidão, romances. Rio de Janeiro,
Tip. Americana, 1869. 2 v.

CRITICAL REFERENCES: CAMPOS, Humberto de. As modas e os modos no
romance de Macedo. (*In* Revista
da Academia Brasileira de Letras, no.
15, outubro de 1920; p. 5-45.) COSTA,
Benedicto. Le roman au Brésil. Paris,
Garnier, 1918. (Macedo e José de
Alencar: Le Guarany et La Moreni
nha, p. 53-82.) MELO, Antônio Dutra
e. A Moreninha. (*In* Minerva Brasiliense, no. 24, 1844; also as preface
to the 9th ed. of A Moreninha. Rio
de Janeiro, Garnier, 1895; p. v-xix.)
MOTTA, Artur. Macedo. (*In* Revista
da Academia Brasileira de Letras, no.
113, maio de 1931; p. 80-99.) Good
bibliography.

MACHADO, Aníbal Monteiro, 1895-   .
Vila feliz. Rio de Janeiro, J. Olympio,
1944. 286 p.
Short stories.

MACHADO, Dyonelio, 1895-   . De-
solação. Rio de Janeiro, J. Olympio,
1944. 352 p.
Novel of psychiatric nightmare, labor struggles,
and the police.

————. O louco de Catí, 1942.

————. Passos perdidos. São Paulo,
Martins, 1946. 296 p.
Novel with political overtones.

————. Os ratos. 2nd ed. Pôrto Alegre, Globo, 1944. 229 p. (1st ed., 1935.)

MAGALHÃES, Adelino, 1887- . A hora veloz. Rio de Janeiro, Revista dos Tribunais, 1926.

————. Os momentos. Rio de Janeiro, Tip. São Benedicto, 1931.

————. Tumulto da vida. Rio de Janeiro, Revista dos Tribunais, 1920.

————. Obras completas. Rio de Janeiro, Z. Valverde, 1946. 2 v.

————. Visões, cenas e perfis. Rio de Janeiro, Revista dos Tribunais, 1918.

CRITICAL REFERENCES: ARMANDO, Paulo (ed.). O precursor Adelino Magalhães. Rio de Janeiro, s.e., 1947. 85 p. Collected studies on Magalhães, with bibliography. GOMES, Eugênio. Introdução da edição das Obras completas. Rio de Janeiro, Z. Valverde, v. I; p. vii-xxxiii.

MAGALHÃES, Antônio Valentim da Costa, 1859-1903. Alma; contos. Rio de Janeiro, Laemmert, 1899. 154 p.

————. Flor de sangue; romance. Rio de Janeiro, Laemmert, 1897. 382 p.

————. Horas alegres; contos e fantasias. Rio de Janeiro, Laemmert, 1888. 216 p.

————. Quadros e contos. São Paulo, Tip. Dolivaes Nunes, 1882. 225 p.

MAGALHÃES, Domingos José Gonçalves de, Visconde de Araguaya, 1811-1882. Amancia; romance. (*In* Minerva Brasiliense, I, 9-10, 1844.)

MALTA, Gastão. Madame Pommery (romance, por Hilário Tacito, pseud.). 2nd ed. São Paulo, Monteiro Lobato, 1919.
Paulista novel.

MARQUES, Francisco Xavier Ferreira, 1861-1943. As voltas da estrada. Rio de Janeiro, Freitas Bastos, 1930. 380 p.
Fiction works by Marques: Simples histórias, contos, 1886; Uma família baiana, 1888; Boto

e Cia., 1897; Jana e Joel, 1899; Pindorama, 1900; Holocausto, 1900; O sargento Pedro, 1910; A boa madrastra, 1910; O feticeiro, 1922; Maria Rosa e o arpoador, novelas, 1902; A cidade encantada, contos, 1920; and Terras mortas, 1936.

CRITICAL REFERENCE: FIGUEIREDO, Jackson de. Xavier Marques. Bahia, Tip. Baiana, 1913. 113 p.

MARTINS, Cyro. A porteira fechada. Pôrto Alegre, Globo, 1944. 248 p.
Regional novel about an unrooted *gaúcho*.
Other works: Sem Rumbo.

MARTINS, Fran. Estrêla do pastor, 1942. ". . .one of the best story-tellers now writing in Portuguese."—Dimmick.

————. O cruzeiro tem cinco estrêlas. Fortaleza, Clã, 1950. 342 p.
"Essentially a collection of short stories, rather than a novel. . . ."—Dimmick.

————. Mar Oceano. Fortaleza, Clã, 1948. 167 p.
Tales of the Brazilian *sertão*.

————. Mundo perdido, 1940.

————. Noite feliz. Fortaleza, Clã, 1946. 122 p. Regional novel.
Other works: Poço dos paus, 1938; Ponta de ma, 1937.

MARTINS, Ivan Pedro de. Caminhos do sul. Romance. Pôrto Alegre, Globo, 1946. 322 p.

————. Fronteira agreste. 2nd ed. Pôrto Alegre, Globo, 1944. 350 p.
Novel, or a picture of life and types in the backlands of Rio Grande do Sul.

MARTINS, Luís. Fazenda; romance da decadência do café. Curitiba, Guaíra, 1940. 221 p.
Fiction works: Lapa, 1936; A terra come tudo, 1937; Romances da vida noturna no Rio, and Fazenda, 1940.

MAYA, Alcides Castilhos, 1878-1944. Alma bárbara, contos. Rio de Janeiro, Pimenta de Melo, 1922.
Neo-Parnassian.

————. Tapera, scenarios gaúchos. Rio de Janeiro, Garnier, 1911. x, 153 p.

————. Ruinas vivas, romance gaúcho. Pôrto, Lello, 1910. 235 p.

CRITICAL REFERENCES: JÚLIO, Sílvio. Os contos de Alcides Maya. (*In* Revista das Academias de Letras, no. 35, julho de 1941; p. 200-223.) MEYER, Augusto. Prosa dos pagos. São Paulo, Martins, 1943. (Alcides Maya; p. 113-144.)

MEYER, Augusto, 1902-   . Segredos da infância. Pôrto Alegre, Globo, 1949. 138 p.
Childhood scenes of a poet.

MIGUEL, Salim. Velhice e outros contos. Florianópolis, Edições Sul, 1951. 104 p.

MONSERRAT, Lidia. E o diploma, doutor? Rio de Janeiro, Pongetti, 1951. 293 p.
Novel.

MOOG, Clodomir Viana, 1906-   . Um rio imita o Reno; romance. Pôrto Alegre, Globo, 1943. 269 p. (1st ed., 1939.)

MORIANI, Hugo. Ventos de Sodoma. Romance. Rio de Janeiro, Pongetti, 1952. 472 p.

MOURA, Reinaldo, 1901-   . Um rosto noturno. Pôrto Alegre, Globo, 1946. 185 p.
Novelistic study of incipient madness.
Other works: Noite de chuva em setembro, 1939; Intervalo passional, 1944.

OLIVEIRA, Alvarus de. Feira de idéias. Crônicas, contos, rádio-teatro, fragmentos, trovas. Seleções e prefácio de Dante Guarino. Rio de Janeiro, Z. Valverde, 1946. 262 p.
Verse and prose miscellany.

OLIVEIRA, Antônio Castilho de Alcântara Machado de, 1901-1935. Braz, Bexiga e Barra Funda. São Paulo, Hélios, 1927.

———. Brás, Bexiga e Barra Funda e Laranja da China. Introd. de Sérgio Milliet. São Paulo, Martins, 1944. 149 p.
Short stories first published in 1927 and 1928, respectively.

———. Laranja da China. São Paulo, Empresa Gráfica, 1928.

———. Mana Maria. Rio de Janeiro, J. Olympio, 1936. 208 p.
Short stories.

CRITICAL REFERENCE: MILLIET, Sérgio. Introdução da reedição de Braz, Bexiga e Barra Funda e Laranja da China. Sao Paulo, Martins, 1944; p. 5-19.

ORNELLAS, Manoelito de. Tiajarú. Pôrto Alegre, Globo, 1945. 150 p.
Prose epic dealing with a semilegendary 18th-century patriot of Rio Grande do Sul.

ORTA, Teresa Margarida da Silva e. Aventuras de Diófanes. Rio de Janeiro, Imprensa Nacional, 1945. xvi, 318 p.
Work described as one of the first Brazilian novels. First published at Lisbon in 1700. Preface and bibliography by Snr. Ruy Bloem.

OURO PRETO, Maluh de. Crônicas de Paris. Rio de Janeiro, A Noite, 1949? 106 p.
Winner of the Brazilian Academy Prize.

PAIM, Alina. Simão Dias. Rio de Janeiro, Casa do Estudante do Brasil, 1949. 207 p.
Novel dealing with Brazilian women portrayed in a small back-country town in Brazil.

———. A sombra do patriarca. Pôrto Alegre, Globo, 1950. 265 p.
Novel.

PAIVA, Manoel de Oliveira. Dona Guidinha do Poço. Apresentação de Lúcia Miguel Pereira. Posfácio e glossário de Américo Facó. São Paulo, Saraiva, 1952. 256 p.
"Published 60 years after time of writing. . . one of the most important productions of the Naturalistic period in Brazilian letters."—Dimmick.

PALHANO, Lauro. Paracoera. Rio de Janeiro, Schmidt, n.d.
First attempts at a proletarian novel in Brasil. Other works: O gororoba, romance da vida proletária, 1931; and Marupiara, romance da selva amazônica, n.d.

PEDROSA, Milton. A face de Marta. Belo Horizonte, Livr. Cultura Brasileira, 1946.
Short stories.

PEIXOTO, Francisco Inácio. Dona Flor; contos. Rio de Janeiro, Irmãos Pongetti, 1940. 163 p.

PEIXOTO, Julio Afrânio, 1876-1947. Bugrinha. Rio de Janeiro, F. Alves, 1922. (3rd ed., 1928. 336 p. Other ed.: Rio de Janeiro, Cem Bibliófilos do Brasil, 1948. 248 p.)

———. A Esfinge. Rio de Janeiro, F. Alves, 1911. (4th ed., 1919.)

———. Fruta do Mato. Rio de Janeiro, F. Alves, 1920. (3rd ed., Rio, Alves, 1922. 405 p.)

———. Maria bonita. 7th ed. São Paulo, Nacional, 1940. 351 p. (1st ed., 1914.)

———. Uma mulher como as outras. Rio de Janeiro, F. Alves, 1928.

———. Memórias. (In Jornal de letras, ano 1, julho, 1949; p. 1.)
The Memórias are continued in the 7 following numbers.

———. As razões do coração. Rio de Janeiro, F. Alves, 1925.

———. Sinhazinha. Rio de Janeiro, F. Alves, 1929.

———. Obras completas. Rio de Janeiro, W. M. Jackson, 1944. 25 v.

CRITICAL REFERENCES: BITTENCOURT, Liberato. Afrânio Peixoto. Rio de Janeiro, Oficina Ginásio, 28 de Setembro, 1939. 208 p. COSTA, Fernandes. Afrânio Peixoto e a sua obra. Lisboa, Aillaud e Bertrand, 1920. 37 p. RIBEIRO, Leonídio. Afrânio Peixoto. Rio de Janeiro, Condé, 1950. xx, 442 p.

PENA, Cornélio, 1896- . Fronteira. Rio de Janeiro, Ariel, 1936.

———. Os dois romances de Nico Horta. Rio de Janeiro, J. Olympio, 1939. 291 p.

———. Repouso. Rio de Janeiro, A Noite, 1948. 320 p.

CRITICAL REFERENCE: ADONIAS FILHO. Os romances de Cornélio Pena. (In

A Manhã, Suplemento Literário, 17 de junho de 1945.)

PEREGRINO, João da Rocha Fagundes (júnior), 1902- . Matupá, 1932.
Also: Histórias da Amazonia, 1936.

PEREIRA, Antônio Olavo. Contramão. Rio de Janeiro, J. Olympio, 1950. 183 p.
Novel, winner of the Fábio Prado Prize for 1949.

PEREIRA, Lúcia Miguel. Amanhecer; romance. Rio de Janeiro, J. Olympio, 1938. 232 p.
Other works: Maria Luísa, 1933; Compêndio narrativo do peregrino da América, 6a ed. completada com a segunda parte. Rio de Janeiro, Pub. Academia Brasileira de Letras, 1929. 2 v.

PEREIRA, Nuno Marques, 1652-1728. Compêndio Narrativo do Peregrino da América. Lisboa, Oficina Manoel Fernandes da Costa, 1728 (Ford gives 1731).

———. ———. Edição da Academia Brasileira de Letras. 2 v. Rio de Janeiro, 1939.
Best example of Gongorist prose in Brazil.

PICCHIA, Paulo Menotti del, 1892- . Salomé. 2nd ed. Rio de Janeiro, Ed. A Noite, 1943? 394 p. (1st ed., 1940.)
A prize-winning novel.

PIMENTEL, Matos. Lodo contra o céu. Rio de Janeiro, Pongetti, 1947. 370 p.
Novel dealing with the Vargas regime.

PLACER, Xavier. Doze histórias curtas. Rio de Janeiro, Agir, 1946. 190 p.

POMPÉIA, Raul d'Ávila, 1863-1895. Canções sem metro, 1881. 2nd ed. Rio de Janeiro, Aldina, 1900.
An imitation of the poems in prose of Baudelaire.

———. O Ateneu. Rio de Janeiro, Tip. Gazeta de Notícias, 1888. (Other editions: 2nd ed.: Rio, F. Alves, 1905. 6th ed.: Rio, Alves, 1942.)

———. Uma tragédia no Amazonas. Rio de Janeiro, 1880.
Novel.

CRITICAL REFERENCES: ANDRADE, Mário de. Aspectos da literatura brasileira. Rio de Janeiro, Americ-Edit., 1943. (O Ateneu; p. 221-236.) ARARIPE, Tristão de Alencar (júnior). Raul Pompéia, O Ateneu e o romance psicológico. Series of 19 articles in *Novidades* in December, 1888, and January and February, 1889. MONTENEGRO, Olívio. O romance brasileiro. Rio de Janeiro, J. Olympio, 1938; p. 88-104. PONTES, Eloy. A vida inquieta de Raul Pompéia. Rio de Janeiro, J. Olympio, 1935. 337 p. REGO, José Lins do. Conferências no Prata. Tendências do romance brasileiro. Raul Pompéia. Machado de Assis. Rio de Janeiro, Casa do Estudante do Brasil, 1946. 107 p.

PONTES, Eloy, 1888- . Favela. Romance. Rio de Janeiro, J. Olympio, 1946. 419 p.
Story with a slum setting.

PÔRTO-ALEGRE, Apollnario, 1844-1904. Paisagens; contos. Pôrto Alegre, J. J. d'Avila, 1875. 263 p.
Pôrto-Alegre was a disciple of Alencar.
Other fiction works: O vaqueano, romance, 1872; Feitiço de uns beijos, romance, 1873; O crioulo do pastoreio, romance, 1875.

CRITICAL REFERENCES: DOCA, Sousa. O regionalismo sul-riograndense na literatura. (*In* Revista das Academias de Letras, I, 1, dezembro de 1937; p. 5-18.) SILVA, João Pinto da. História literária do Rio Grande do Sul. Pôrto Alegre, Globo, 1924; p. 146-154.

PRADO, João Fernando de Almeida. Os três sargentos (por) Aldo Ney (pseud.). 2nd ed. São Paulo, 1932. 272 p.

QUEIRÓS, Amadeu de. João. Pôrto Alegre, Globo, 1945. 203 p.
Other works: O intendente de ouro, 1937; Os casos de carimbamba, 1938; Voz da terra, 1938; Sabina, 1943.

QUEIROZ, Dinah Silveira de. Floradas na serra. 3rd ed. Rio de Janeiro, J. Olympio, 1940. 282 p.
1st prize of São Paulo Academy of Letters.

————. Margarida La Rocque. A ilha dos demônios. Rio de Janeiro, J. Olympio, 1949. 277 p.

QUEIROZ, Raquel de, 1910- . Caminho de pedras; romance. Rio de Janeiro, J. Olympio, 1937. 198 p. 1st ed.

————. A donzela e a Moura Torta. Crônicas e reminiscências. Rio de Janeiro, J. Olympio, 1948. 212 p.
Collection of newspaper articles on all manner of subjects.

————. João Miguel; romance. Rio de Janeiro, Schmidt, 1932. 210 p.

————. O Quinze. 3rd ed. São Paulo, Editôra Nacional, 1942. (1st ed., 1930.)

————. As três Marias; romance. 2nd ed. Rio de Janeiro, J. Olympio, 1943. 285 p. (1st ed., 1939.)
Prêmio Felipe d'Oliveira.

CRITICAL REFERENCES: ANDRADE, Almir de. Aspectos da cultura brasileira. Rio de Janeiro, Schmidt, 1939. (Raquel de Queiroz; p. 107-121.) ATHAYDE, Tristão de. Estudos 5th series. Rio de Janeiro, Civilização Brasileira, 1935; p. 93-96. ELLISON, Fred P. Brazil's New Novel; Four Modern Masters: . . . Rachel de Queiroz. Berkeley and Los Angeles, Univ. of California Press, 1954. GRIECO, Agrippino. Evolução da prosa brasileira. 1933. (2a ed. Rio de Janeiro, J. Olympio, 1947; p. 126-128.) MONTENEGRO, Olívio. O romance brasileiro. Rio de Janeiro, J. Olympio, 1938; p. 176-184.

QUERINO, Manuel. A Bahia de outrora. Prefácio e notas de Frederico Edelwiss. São Paulo, Livr. Progresso, 1946. 332 p. (First published in 1916.)

QUINTANA, Mário. Sapato Florido. Pôrto Alegre, Globo, 1948. 131 p.

RAMOS, Graciliano, 1892-1953. Angústia; romance; Capa de Santa Rosa. Rio de Janeiro, J. Olympio, 1936. 268 p. (2nd ed., 324 p.)

————. Caetés, romance. 2d ed. Ensaio de interpretação de Floriano Gonçalves. Rio de Janeiro, J. Olympio, 1947. 217 p. (1st ed., 1933.)

————. Dois dedos. Ilus. em madeira de Axel de Leskoschek. n.p., R.A., 194-? 126 p.
Short stories.

————. Histórias de Alexandre, ilus. e Capa de Santa Rosa. Rio de Janeiro, Cia. Editôra Leitura, 1944. 135 p.

————. Histórias incompletas. Rio de Janeiro, Ed. da Livr. Globo, 1946. 145 p.
Short stories.

————. Infância. Rio de Janeiro, J. Olympio, 1945. 282 p.
A volume of childhood reminiscences.

————. Insônia. Contos. Rio de Janeiro, J. Olympio, 1947. 188 p.

————. São Bernardo, romance. 2nd ed. Capa de Santa Rosa. Rio de Janeiro, J. Olympio, 1938. 197 p. (1st ed., 1934. *Id.*, 1947. 222 p.)

————. Vidas sêcas, romance. Capa de Santa Rosa. Rio de Janeiro, J. Olympio, 1938. 197 p. (1st ed. 1947, *Id.* 195 p.)

CRITICAL REFERENCES: CARPEAUX, Otto Maria. Origens e Fins. Rio de Janeiro, Casa do Estudante do Brasil, 1943. (Visão de Graciliano Ramos; p. 339-351.) ELLISON, Fred P. Brazil's New Novel; Four Modern Masters: . . . Graciliano Ramos. . . . Berkeley and Los Angeles, Univ. of California Press, 1954. xiii, 191 p. FUSCO, Rosário. Vida literária. São Paulo. Panorama, 1940. (Modernos e modernistas; p. 101-108.) GONÇALVES, Floriano. Graciliano Ramos e o romance. Prefácio da re-edição de Caetés. (Obras, v. I.) Rio de Janeiro, J. Olympio, 1947; p. 9-76. GRIECO, Agrippino. Gente nova do Brasil. Rio de Janeiro, J. Olympio, 1935; p. 42-58. HOMENAGEM A GRACILIANO RAMOS: Rio de Janeiro, Alba, 1943. Items: Francisco de Assis Barbosa: 50 anos de

Graciliano Ramos; p. 33-54; Laura Austregésildo: As várias facetas secretas de Graciliano Ramos; p. 74-88. MONTENEGRO, Olívio. O romance brasileiro. Rio de Janeiro, J. Olympio, 1936; p. 165-170. SILVA, H. Pereira da. Graciliano Ramos. Ensaio críticopsicanalítico. Rio de Janeiro, Aurora, 1950. 134 p. SODRÉ, Nelson Werneck. Orientações do pensamento brasileiro. Rio de Janeiro, Vecchi, 1942. (Graciliano Ramos, p. 99-121.)

RAMOS, Hugo de Carvalho. Tropas e boiadas (contos). 3a ed. São Paulo, Record, 1938. 256 p.
Life in central Brazil.

RANGEL, Godofredo. Vida ociosa. 2nd ed. São Paulo, Nacional, 1934. 251 p. (1st ed., 1920.)
Also: Andorinhas, 192-?

REID, Lawrie. A sombra da linha gótica. Contos de guerra (frente italiana). São Paulo, Editôra Brasiliense, 1951. 246 p.
Tales of civilians in wartime Italy.

RIBEIRO, Júlio César, 1845-1890. A carne. 17th ed. Rio de Janeiro, Alves, 1942. (1st ed., 1888.)

————. O padre Belchior de Pontes, romance histórico original. Campinas, 1876-1877. 2 v. (3rd ed., São Paulo, Monteiro Lobato, 1925. 346 p.)

CRITICAL REFERENCES: BANDEIRA Manuel. Centenário de Júlio Ribeiro. (*In* Revista da Academia Brasileira de Letras, LXIX, 1945; p. 8-25.) DORNAS, João (filho). Júlio Ribeiro. Belo Horizonte, Cultura Brasileira, 1945 101 p.

RIBEIRO, Walter Fontenelle. O dia va nascer. Romance. Rio de Janeiro Ed. Cupola, 1946. 183 p.
Novel with a social message.

ROCHA, Justiniano José da, 1812-1862 Os assassinos misteriosos ou a paixã dos diamantes; novela histórica. Rio de Janeiro, 1839. 29 p.

————. O pariá e a sociedade brasileira novela. Rio de Janeiro, 18—? 4 v.

RODRIGUES, Sylvio. Fúria e outras histórias. São Paulo, Livr. Martins, 1944. 249 p.

ROMERO, Sílvio Vasconcelos da Silveira Ramos, 1851-1914. Contos populares do Brasil. Com um estudo preliminar e notas comparativas por Teófilo Braga. Lisboa, Nova Livr. Internacional, 1885. xxxvi, 235 p. (Ed., 1897.)
See Section II for critical references on Sílvio Romero.

――――. Contos do fim de século. Rio de Janeiro, 1878, 240 p.

ROSA, J. Guimarães. Sagarana. Contos. Rio de Janeiro, Ed. Universal, 1946. 343 p.
Short stories with a setting in the state of Minas Gerais.

ROSENBLATT, Sultana Levy. Uma grande mancha de sol. Romance. Rio de Janeiro, Casa do Estudante do Brasil, 1951. 294 p.

RUBEL, Otto. Dois amigos de guerra. A ida dos expedicionários. Romance. Rio de Janeiro, Ed. do autor, 1946. 305 p.
Novel based on World War II.

RUBIÃO, Alvares. O leão de mar. Belo Horizonte, Imprensa Oficial, 1947. 242 p.
Short stories.

SABINO, Fernando Tavares. A marca. Rio de Janeiro, J. Olympio, 1944. 184 p.
Novel.

SALES, Herberto. Cascalho. Rio de Janeiro, O Cruzeiro, 1944. 406 p.
A first novel—deals with the diamond region of the Northeast.

SALGADO, Plinio, 1901- . O Cavalheiro de Itararé. São Paulo, Unitas, 1933.

――――. O esperado. São Paulo, Editôra Nacional, 1931.

――――. O estrangeiro. São Paulo, Helios, 1926. (Other editions: 3rd ed., Rio de Janeiro, J. Olympio, 1936; 5th ed., São Paulo, Panorama, 1948.)

――――. A vos do oeste, 1933.

CRITICAL REFERENCES: ATHAYDE, Tristão de. Estudos. 5a série. Rio de Janeiro, Civilização Brasileira, 1935. (Esperado ou Desesperado? p. 197-205.) GRIECO, Agrippino. Evolução da prosa brasileira. 1933. (2a ed. Rio de Janeiro, J. Olympio, 1947; p. 229-230.)

SALLES, Antônio. Aves de arribação; romance cearense. 2nd ed. São Paulo, Nacional, 1929. 340 p. (1st ed., 1913.)

SANT'ANA, Nuto. Ana Maria. São Paulo, Ressolillo, 1948. 195 p.
Novel.

――――. Satanás. São Paulo, Ressolillo, 1950. 202 p.
Novel.

SCHMIDT, Afonso, 1890- . A marcha. Romance de abolição. São Paulo, Ed. Clube do Livro, 1945. 205 p. (1st ed., 1941.)
Other prose: Reino do céu, 1942; poetry, Curiango.

――――. O retrato de Valentina. São Paulo, Instituto Progresso Editorial, 1947. 243 p.
Short stories.

――――. Saltimbancos. São Paulo, Saraiva, 1950. 229 p.
Novel about an alcoholic against a circus background.

SILVA, João Manoel Pereira da, 1817-1898. Aspasia. Rio de Janeiro, Garnier, n.d. 289 p.
Other works: O aniversário de D. Miguel em 1825, 1839; Religião, amor e pátria, 1839; Jerônimo Corte Rial, 1840; Manuel de Morais, and D. João de Noronha.

SILVA, Oswaldo Alves da. Um homem dentro do mundo. Curitiba, Guaíra, 1940.
Introspective novel.

SILVA, Sérgio Milliet da Costa e, 1898- . Roberto; narrativa. São Paulo, L. Niccolini e Cia., 1935. 178 p.
Also: Duas cartas no meu destino, 1941.

SILVEIRA, Brenno. Atalho proibido. Novela. São Paulo, Melhoramentos, 1951? 171 p.

SILVEIRA, Gomes da. Uma experiência de amor. Rio de Janeiro, Globo, 1946. 219 p.
A story of about how to make the best of marriage.

SILVEIRA, Joaquim Xavier da. Cruzes brancas, o diário de um pracinha. Rio de Janeiro, J. Olympio, 1947. 150 p.
Diary of a Brazilian private in the Italian campaign of World War II.

SILVEIRA, Joel Magno Ribeiro da. A lua. Contos. São Paulo, Martins, 1945. 170 p.

––––––. Onda raivosa; contos. São Paulo, Rumo, 1939. 170 p.
Also: Roteiro de Margarida, contos, 1940; and Bonecos de engonço, 1940.

SILVEIRA, Júnior de. Castelo dos fantasmas. Pôrto Alegre, Globo, 1945. 167 p. Short stories and sketches.
Also: Enquanto a morte não vem, 1939; and Um clarão rasgou o céu, 1940.

SILVEIRA, Waldomiro, 1870-1941. Mixuangos; contos. Rio de Janeiro, J. Olympio, 1937. 258 p.
Also: Os caboclos, 1920; Nas serras e nas furnas, 1931.

SOUSA, Antônio Gonçalves Teixeira e, 1812-1881. As fatalidades de dois jovens. Rio de Janeiro, Paula Brito, 1856. (2nd ed., 1874.)
With Macedo, founder of the Brazilian novel.

––––––. A Providência. Rio de Janeiro, M. Barreto, 1854.

––––––. Tardes de um pintor ou as intrigas de um jesuita. 2a ed., com correções póstumas do autor. Rio de Janeiro, Ed. Cruz Coutinho, 1868. 2 v. (1st ed., 1847.)
Other prose works: O filho do pescador, 1843; Gonzaga ou a conjuração de Tiradentes, 1848-1851; Maria e a menina roubada, 1859.

CRITICAL REFERENCES: CASTELLO, José Aderaldo. Os iniciadores do romance brasileiro. (*In* O Jornal, Rio de Janeiro, 10 de julho de 1949.) PARANHOS, Haroldo. História do romantis-

mo no Brasil. V. II. São Paulo, Cultura Brasileira, 1938; p. 255-262.

SOUSA, Herculano Marcos Inglês, 1853-1918. O cacaolista (scenas da vida do Amazonas). Santos, Tip. do Diário de Santos, 1876. 194 p.
Champion of Naturalism in Brazil.

––––––. Contos amazônicos. Rio de Janeiro, 1892. 1st ed.

––––––. O coronel Sangrado; romance. Santos, Tip. do Diário de Santos, 1877. 1st ed.

––––––. História de um pescador. Scenas da vida do Amazonas. São Paulo, Tip. da Tribuna Liberal, 1876. vi, 335 p.

––––––. O missionário. 2nd ed. Revista pelo autor e augmentada com um prólogo do Dr. Araripe Júnior. Rio de Janeiro, Laemmert, 1899. 2 v. (1st ed., 1888. 3rd ed., Rio, J. Olympio, 1946.)

CRITICAL REFERENCES: ARARIPE, Tristão de Alencar (júnior). Prólogo da 2a edição d'O Missionário. Rio de Janeiro, Laemmert, 1899; p. 7-40. HOLLANDA, Aurélio Buarque de. Prefácio da 3a edição d'O Missionário. Rio de Janeiro, Olympio, 1946; p. i-xvi.

SPINELLI, Marcos. Assignment Without Glory. Philadelphia, Pa., New York, N.Y., J.B. Lippincott, 1945. 256 p.
Story of wartime jungle espionage by a native Brazilian, now a citizen of the United States.

TAUNAY, Alfredo d'Escragnolle, Visconde de Taunay, 1843-1899. Ao entardecer; contos vários. Rio de Janeiro, H. Garnier, 1901. 196 p.

––––––. Céus e terras do Brasil. Ed. Ilus. Rio de Janeiro, 1929. 111 p.

––––––. Innocencia. 17th ed. São Paulo, Weiszflog Irmãos, Inc., 1927. xvi, 234 p. Bibliografia de Innocencia p. 231-234. (1st ed., 1872.)

––––––. No declinio; romance contemporâneo. Rio de Janeiro, Ribeiro, Macedo e Cia., 1899. 274 p.

————. Memórias do Visconde de Taunay. São Paulo, Instituto Progresso Editorial, 1948. xiv, 649 p.
Withheld from publication for 50 years in accordance with the author's wish.

————. Mocidade de Trajano; romance. Rio de Janeiro, Garnier, 1871. 2 v.
Published under the author's pseud., Sylvio Dinarte.

————. Ouro sôbre azul. Cayeiras, Companhia Melhoramentos de São Paulo, Weiszflog Irmãos, 1921. 297 p.

. Páginas escolhidas. Ed. by Alberto de Oliveira and Jorge Jobim. Rio de Janeiro, Paris, Garnier, 1922. x, 368 p.

————. La retraite de Laguna, épisode de la guerre du Paraguay. 4th ed. Tours, E. Arrault et Cie., Imprimerus, 1912. xliii, 272 p. (1st ed., 1871.)

CRITICAL REFERENCES: BEZERRA, Alcides. O Visconde de Taunay. Vida e obra. Rio de Janeiro, Arquivo Nacional, 1937. 29 p. GARCÍA MÉROU, Martín. El Brasil intelectual. Buenos Aires, Félix Lajouane, 1900; p. 141-184. KOSERITZ, Carlos von. Alfredo d'Escragnolle Taunay. Esbôço característico. Trans. from the German by R. P. B. 2nd ed. Rio de Janeiro, Leuzinger, 1886. 38 p. MOTTA, Artur. Taunay. (In Revista da Academia Brasileira de Letras, no. 85, janeiro de 1929; p. 42-61.) ROMERO, Sílvio. Outros estudos de literatura contemporânea. Lisboa, A. Editôra, 1905. (Visconde de Taunay, o homem de letras; p. 187-206.)

TÁVORA, João Franklin da Silveira, 1842-1888. O cabeleira. Rio de Janeiro, Tip. Nacional, 1863. (Ed., Rio, Garnier, 1920. 269 p.)

————. ————. Nova edição. Rio de Janeiro, Jornal do Brasil, 1928.
Realist novelist of the sertão—in the north.

————. A casa de palha. Rio de Janeiro, Nacional, 1866.
Published in Jornal do Recife, 1866, and reproduced in various other journals.

————. Un casamento no arrabalde; história de tempo em estilo de casa. Recife, 1869.

————. Os índios do Jaguaribe; romance histórico. 1862. Published in Diário de Pernambuco.

————. A literatura do norte. Rio de Janeiro, Garnier, 18—? 4 v.
Contents: 1. A cabeleira. 2. O matuto. 3. O Lourenço. 4. Um casamento no arrabalde.

————. Lourenço. Rio de Janeiro, Tip. Nacional, 1881.

————. O matuto. Rio de Janeiro, Tip. Perseverança, 1878.

————. A trindade maldita, contos. 1861.

CRITICAL REFERENCES: BEVILAQUA, Clóvis. Franklin Távora. (In Revista da Academia Brasileira de Letras, no. 9, julho de 1912; p. 12-52.) MOTTA, Artur. Franklin Távora. (In Revista da Academia Brasileira de Letras, no. 87, março de 1929; p. 279-287.) Bibliographical study.

THEOPHILO, Rodolpho Marcos, 1853-1932. O paraora. Ceará, Ed. Cholowiecki, 1899. 502 p.
Other prose works: Os brilhantes, 1895; O condurí, 1910; O reino de Kiato, 1922; novels. A fome, short stories, 1922.

TORRES, Mário Brandão. Acauã. Páginas regionalistas. Prefácio de Gilberto Freyre. Rio de Janeiro, A Noite, 1950.
Novel about the sertanejo.

TRABAJARA, Nelson. O herói imperfeito. Um caso de dupla personalidade. Rio de Janeiro, Olympio, 1948. 310 p.
Fantastic novel.

VALLADARES, Benedicto. Esperidião. Rio de Janeiro, O Cruzeiro, 1951. 309 p.
Novel with an insight into the Brazilian machine politics.

VASCONCELOS, Agripa. Fome em Canaã; romance. Rio de Janeiro, O Cruzeiro, 1951. 314 p.
Rural life in Minas Gerais.

VASCONCELOS, José Mauro de. Barro branco. São Paulo, Instituto Progresso Editorial, 1948. 289 p.
Romancista nordestino.

VERGARA, Telmo. 9 histórias tranquilas; contos. Pôrto Alegre, Globo, 1938. 179 p.
Other prose works: Seu Paulo convalesce, contos, 1934; Figueira velha, novela, 1935; Cadeiras nas calçadas, contos, 1939; Estrada perdida, romance, 1939; Histórias do irmão sol, contos, 1941.

VERÍSSIMO, Érico, 1905- . As aventuras de Tibicuera, que são também as aventuras do Brasil. 2nd ed. Pôrto Alegre, Globo, 1939. 179 p. (6th ed., 1947.)
Children's stories.
Novelist of interlocking lives in the manner of Aldous Huxley and Vicki Baum. One of Brazil's greatest novelists.

————. As aventuras do avião vermelho; história de Érico Veríssimo. Pôrto Alegre, Globo, 1936? 293 p.

————. Aventuras no mundo da higiene. Pôrto Alegre, Globo, 1939. 144 p.
Children's stories.

————. Caminhos cruzados, romance. 6th ed. Pôrto Alegre, Globo, 1943. 355 p. (1st ed., 1935. 8th ed., 1947 [18,000 copies].)

————. Clarissa. 3rd ed. Pôrto Alegre, Globo, 1940. 227 p.

————. Fantoches. Pôrto Alegre, Globo, 1932. 211 p.

————. Gato preto em campo de neve. Ed. by Lloyd Kasten and Claude E. Leroy. New York, Henry Holt, 1947. 183 p.

————. Gato preto em campo de neve. Pôrto, Globo, 1941, 420 p. 3rd ed., 1942.
Travel in the United States.

————. Um lugar ao sol, romance. 4th ed. Pôrto Alegre, Globo, 1940. 350 p.

————. As mãos de meu filho, contos e artigos. Pôrto Alegre, Edições Meridiano, 1942. 186 p.

————. Música ao longe, romance. 7th ed. Pôrto Alegre, Globo, 1945. 277 p. (1st ed., 1935. 8th ed., 1947.)

————. Noite, novela. Rio de Janeiro, Globo. 1954. 210 p.

————. Olhai os lirios do campo, romance. 13th ed. Rio de Janeiro, Globo, 1947. 302 p. (1st ed., 1938.)

————. Outra vez os 3 porquinhos; história de Érico Veríssimo. Pôrto Alegre, Globo, 1939? 31 p.
Children's stories.

————. O resto é silêncio, romance. Pôrto Alegre, Globo, 1943. 1st ed. 414 p. (3rd ed., 1949.)

————. Saga, romance. 2nd ed. Pôrto Alegre, Globo, 1940. 329 p.

————. O tempo e o vento. V. I. O continente. Pôrto Alegre, Globo, 1949? 639 p.

————. O tempo e o vento. Rio de Janeiro, Pôrto Alegre, São Paulo, Editôra Globo, 1950-1951.
Contents: 1. O continente. 2. O retrato.

————. O urso com música na barriga. Pôrto Alegre, Globo, 1938? 27 p.

————. Viagem à aurora do mundo. Pôrto Alegre, Globo, 1939. 298 p.

————. A vida de Joana d'Arc, contada por Érico Veríssimo. Pôrto Alegre, Globo, 1944. 291 p.

————. A vida do elefante Basilio, história de Érico Veríssimo. Pôrto Alegre, Globo, 1939. 30 p.

————. A volta do gato preto. Pôrto Alegre, Globo, 1947. 440 p.
Travel through the United States.

CRITICAL REFERENCES: BARRETT, Linton Lomas. Érico Veríssimo's Idea of the Novel: Theory and Practice. (*In* Hispania, XXXIV, 1, Feb., 1951; p. 30-40.) ————. Érico Veríssimo and the Creation of Novelistic Character. (*In* Hispania, XXIX, 3, Aug., 1947; p. 323-338.) CÂNDIDO, Antônio. Brigada ligeira. São Paulo, Martins,

1945. (Romance popular; p. 71-82.) Fusco, Rosário. Vida literária. São Paulo, Panorama, 1940. (Entre o romantismo, e o naturalismo; p. 118-124. LEIRIA, J. O. Nogueira. Érico Veríssimo e os novos rumos do romance gaúcho. (*In* Provincia de São Pedro, Pôrto Alegre, XVI, 136-139, dez., 1951.) On O tempo e o vento. SANMARTIN, Olyntho, Mensagem. Pôrto Alegre, A Nação, 1947. (Érico Veríssimo; p. 139-154.) SIMÕES, João Gaspar. Crítica. Pôrto Alegre, Livr. Latina, 1942. (Érico Veríssimo; p. 380-392.) MONTENEGRO, Olivio. O romance brasilciro. Rio de Janeiro, J. Olympio, 1938; p. 171-175.) VELLINHO, Moisés. Letras da província. Pôrto Alegre, Globo, 1944. (Érico Veríssimo, o romancista; p. 93-118.)

VIANNA, Godofredo, 1878-1944. Por onde Deus não andou. Romance. Rio de Janeiro, J. Olympio, 1946. 238 p.

VIEIRA, José. Espelho de casados. Rio de Janeiro, J. Olympio, 1938. 259 p.
Other prose works: O livro de Thilda, n.d.; O bota-abaixo: crônica de 1904, n.d.; História de Pedro Malazarte, 1944.

————. Um reformador na cidade do vício. Rio de Janeiro, J. Olympio, 1948. 218 p.

VIEIRA, José Geraldo, 1897- . Carta a minha filha em prantos. São Paulo, Ed. Brasiliense, 1946. 130 p.
Urban novelist.

————. A ladeira da memória. São Paulo, Saraiva, 1950. 319 p.
Novel.

————. A mulher que fugiu de Sodoma. 3rd ed. Pôrto Alegre, Globo, 1947. (1st ed., Rio de Janeiro, 1931.)

————. A quadragésima porta, romance. Pôrto Alegre, Globo, 1943. 250 p.
A novel that caricatures well-known Brazilian literary figures.

————. A ronda do deslumbramento, contos. Rio de Janeiro, Empreza Brasil Editôra, 1922. 203 p.

————. Território humano, romance. Rio de Janeiro, J. Olympio, 1936. 620 p.

————. A túnica e os dados. Pôrto Alegre, Globo, 1947. 322 p.
Novel was selected before publication by the Sociedade Livro do Mês.

CRITICAL REFERENCE: MURICY, Andrade. A nova literatura brasileira. Pôrto Alegre, Globo, 1936; p. 316-320.

WANDERLEY, Allyrio Meira. Ranger de dentes. Rio de Janeiro, Ed. Leitura, 1945. 407 p.
Novel dealing with problems of Brazil, both from the economic and spiritual points of view. Other works: Bolsos vazios, 1940.

IV. Poetry

A. POETRY: GENERAL STUDIES

ALI, M. Said. Versificação portuguêsa. Prefácio de Manuel Bandeira. Rio de Janeiro, Imprensa Nacional, 1948. 81 p.
A treatise on Portuguese versification.

BANDEIRA, Manuel (ed.). Apresentação da poesia brasileira, seguida de uma pequena antologia. Prefácio de Otto Maria Carpeaux. Rio de Janeiro, Ed. Jornal do Comércio, 1946. 432 p.
Concise survey of the history of Brazilian poetry with illustrative selections from the poets considered.

————. Panorama de la Poesía Brasileña. México-Buenos Aires, Fondo de Cultura Económica, 1951. xiv, 274 p.
For other anthologies by Bandeira, see Anthologies: Poetry.

BARROS, Jaime de. Poetas do Brasil. Rio de Janeiro, J. Olympio, 1944. 230 p.

An introduction to the history of Brazilian poetry, with emphasis on the contemporary scene.

BASTIDE, Roger. A poesia afro-brasileira. São Paulo, Martins, 1943. 151 p.
A study of the African influence on Brazilian poetry.

BOUTERWEK, Friedrich. Geschichte der portugiesischen Poesie und Beredsamkeit. Göttingen, 1805. 412 p.
Deals with a few Brazilian poets.

CASTELLO, José Aderaldo. Apontamentos para a história do simbolismo no Brasil. (In Revista da Universidade de São Paulo, ano 1, no. 1, jan.-março, 1950; p. 111-121.)

FREITAS, José Antônio de. O lirismo brasileiro. Lisboa, David Corazzi, 1877. 142 p.
A superficial work.

GRIECO, Agrippino. Evolução da poesia brasileira. Rio de Janeiro, Ariel, 1932. (3rd ed. Rio de Janeiro, J. Olympio, 1947. 222 p.)

JÚLIO, Sílvio. Fundamentos da poesia brasileira. Rio de Janeiro, Coelho Branco, 1930. 252 p.

LIMA, Alceu Amoroso. Poesia brasileira contemporânea. Belo Horizonte, Bluhm, 1941.

LINS, Edison. História e crítica da poesia brasileira. Rio de Janeiro, Ariel, 1937. 399 p.

MAGALHÃES, Valentim. A literatura brasileira. 1870-1895. Lisboa, Antônio Maria Pereira, 1896. 300 p.
Covers Parnassians.

MARIZ, Vasco. A renovação artística e literária no Brasil contemporâneo. (In Brasília, V, 1950; p. 487-499.)
On Modernism and post-Modernism.

MEIRELES, Cecília. Notícia da poesia brasileira. Coimbra, Biblioteca Geral da Universidade, 1935. 54 p.
A lecture.

MILLIET, Sérgio. Dados para uma história da poesia modernista. (1922-1928.) (In Anhembi, I, 1, dez., 1950; p. 68-92.)

MONTALEGRE, Duarte de. Ensaio sôbre o parnasianismo brasileiro, seguido duma breve antologia. Coimbra, Editôra Coimbra, 1945.
A study by a Portuguese critic of Brazilian Parnassians.

NUNES, Cassiano. História da poesia brasileira. (In Boletim Bibliográfico, São Paulo, ano 2, v. VII, abril-junho, p. 59-78.)
A brilliant and remarkably concise survey of the entire field, with a useful bibliography at the end.

ORNELLAS, Manoelito de. Símbolos bárbaros. Pôrto Alegre, Globo, 1943. 166 p.
Includes important essays on Modernism and some famous writers of the 1920's.

SILVEIRA, Tasso da. Definição do modernismo. Rio de Janeiro, Ed. Forja, 1921. 127 p.

VARNHAGEN, Francisco Adolpho de, 1816-1878. Ensaio histórico sôbre as letras no Brasil. (In Florilégio da Poesia Brasileira. Lisboa, Laemmert, 1850. 2nd ed. Rio de Janeiro, Academia Brasileira de Letras, 1946. V. I, p. 9-48.)

VERGARA, Pedro. A poesia moderna rio-grandense. Rio de Janeiro, Rodrigues e Cia., 1943. 111 p.

B. POETRY

ABREU, Benedicto Luís Rodrigues de, 1897-1927. Casa destelhada. São Paulo, Hélios, 1927. (2nd ed., São Paulo, Editorial Paulista, 1933.)

―――. A sala dos passos perdidos. São Paulo, Monteiro Lobato, 1924. (2nd ed., São Paulo, Editorial Paulista, 1932.)

CRITICAL REFERENCES: BUENO, Silveira. Rodrigues de Abreu, o poeta. Prefácio da 2a edição de Casa destelhada. São Paulo, Editorial Paulista, 1933; p.

7-16. Lobo, Chiquinha Neves. Poetas de minha terra. São Paulo, Brusco e Cia., 1947. (Rodrigues de Abreu; p. 348-362.)

Abreu, Casimiro José Marques de, 1839-1860. Obras de Casimiro de Abreu; intro. e notas de Sousa da Silveira. São Paulo, Nacional, 1940. 456 p.
Contents: Camões e o Jau, Primaveiras and Páginas em prosa.
Critical edition.

———. Obras completas. Ed. by M. Said Ali. Rio de Janeiro, Laemmert, 1902.

———. Obras completas. Ed. by Joaquim Norberto de Sousa e Silva. Rio de Janeiro, Garnier, 1877.
Other editions: 1883, 1892, 1909, and 1920.

———. Poesias completas. Estudio crítico do Prof. Silveira Bueno. Organização, revisão e notas por Frederico José da Silva Ramos. São Paulo, Saraiva, 1949. 263 p.
Attractive, carefully edited pocket edition.

———. Poesias completas. Rio de Janeiro, Z. Valverde, 1947.

———. As primaveras. Rio de Janeiro, Imprensa Nacional, 1945. xviii, ix, 260, iii p.
Reprint of the Paula Brito edition of 1859, with a preface by Afrânio Pexoto.

———. As primaveras. Facsímile da edição original. Introdução de Afrânio Peixoto. Rio de Janeiro, Ministério da Educação e Saúde, Instituto Nacional do Livro, 1952. 260 p.

Critical References: Andrade, José Maria Goulart de. Casimiro de Abreu. (In Revista da Academia Brasileira de Letras, no. 14, de julho de 1940; p. 7-49.) Bruzzi, Nilo. Casimiro de Abreu. Prólogo-carta de Horácio Marques de Abreu. Rio de Janeiro, Aurora, 1949. 203 p. Revision of Abreu's biography; a much-discussed work. Documentário de Casimiro de Abreu. (In Autores e livros, ano 9, v. X: 9, junho, 1949, p. 102-105; 10, julho, 1949, p. 113, 118; 11, agôsto, 1949, p. 131.) Official docu-

ments, unpublished letters, and poems used by Nilo Bruzzi in writing his controversial biography of the 19th-century poet. Guerra, Álvaro. Casimiro de Abreu. São Paulo, Melhoramentos, 1923. 56 p. Moniz, Heitor. Vultos da literatura brasileira. Rio de Janeiro, Marisa, 1933. (Casimiro de Abreu; p. 81-89.) Tavares, Adelmar. Discurso de posse. (In Revista da Academia Brasileira de Letras, no. 58, outubro de 1926; p. 83-112.) Encomiastic. Veríssimo, José. Estudos de literatura brasileira. 2nd series. Rio de Janeiro, Garnier, 1901. (Casimiro de Abreu; p. 47-59.) See also introductions to editions cited.

Achilles, Paula. A dança da vida. Sonetos e poemas. Rio de Janeiro, J. Olympio, 1948. 301 p.
Parnassian.

Albano, José de Abreu, 1882-1923. Rimas. Barcelona, Fidel Giró, 1912.
Neo-Parnassian.

———. Rimas de José Albano. Edição organizada, revista e prefaciada por Manuel Bandeira. Rio de Janeiro, Pongetti, 1948. 261 p.
First edition to make the verse of Albano available to the general public.
Other works: Canção a Camões; Ode a língua portuguêsa; Alegoria; Redondilhas, Barcelona, 1912.

Critical Reference: Bandeira, Manuel. Prefácio das Poesias. Rio de Janeiro, Pongetti, 1948; p. 5-11.

Alencar, José Martiniano de, 1829-1877. Poem, 'Os Filhos de Tupá,' written in 1863. (In Revista da Academia Brasileira de Letras, ano. I, no. 2, outubro de 1910.)

Almeida, Francisco Filinto de, 1857-. Cantos e cantigas. Pôrto, Livr. Chardron, 1915. 220 p.

———. Lírica. Rio de Janeiro, Moreira Maximino e Cia., 1887. 280 p.

———. Harmonias da noite velha. Rio de Janeiro, Civilização Brasileira, 1946. 221 p.

ALMEIDA, Guilherme de Andrade e, 1890- . A dança das horas. São Paulo, Ofic. Estado de São Paulo, 1919. (2nd ed., 1928. 62 p.) Exquisite love lyrics.

―――. Encantamento. 1st ed. São Paulo, Editôra Nacional, 1925. Winner of Brazilian Academy prize.

―――. Era uma vez. 1st ed. São Paulo, Editôra Nacional, 1922. (2nd ed., 1927. 78 p.)

―――. A flor que foi um homem. 1st ed. São Paulo, 1925.

―――. A frauta que eu perdi. Rio de Janeiro, A. Pinto, 1924.

―――. Livro de horas de soror Dolorosa, "A que morreu de amor"; poema. São Paulo, Ed. da Revista do Brasil, 1920, 1928.)

―――. Messidor. Nós. A dança das horas. Suave colheita. 3rd ed. São Paulo, Editôra Nacional, 1929. 252 p. (6th ed., 1941.)

―――. Meu. São Paulo, José Napoli, 1925.

―――. Narcisso, a flor que foi um homem. São Paulo, Ed. Flama, 1944. 72 p.

―――. Nós. 3rd ed. São Paulo, Editôra Nacional, 1927. 3. a 8. milheiro. xxxiii numb. leaves. (1st ed., 1917.)

―――. Tempo: 1914, 1944. Pref. by Jamil Almansur Haddad. São Paulo, Ed. Flama, 1944. 247 p.

―――. Poesia vária. São Paulo, Martins, 1927. 198 p. Other works: Raça, 1925; Simplicidade, 1929; Carta à minha noiva, 1931; Cartas que eu não mandei, 1932; Acaso, 1938; Cartas de meu amor, 1942. Translations: Eu e você, de Paul Geraldy, 1932; O gitanjali, de Rabindranath Tagore, 1932; Poetas de França, 1936; O Jardinero, de Rabindranath Tagore, 1940.

CRITICAL REFERENCES: ATHAYDE, Tristão de. Estudos. 1a série. Rio de Janeiro, Terra do Sol, 1947. (Brasileirismo, p. 77-85.) ―――. Primeiros estudos. Rio de Janeiro, Agir, 1948. (Um grande poeta e outros; p. 155-161.) Written in 1919. BANDEIRA, Manuel. Crônicas da Província do Brasil. Rio de Janeiro, Civilização Brasileira, 1937. (Guilherme de Almeida; p. 143-145.) Famous observations on versification. GRIECO, Agrippino. Evolução da poesia brasileira. 1932. (3rd ed. Rio de Janeiro, J. Olympio, 1947; p. 231-233.)

ALMEIDA, Moacyr Gomes de, 1902-1925. Gritos bárbaros. Rio de Janeiro, B. Costallat e Miccolis, 1925. Neo-Parnassian.

―――. Poesias completas de. . . . Prefácio de Atílio Milano. Ed. rev. por Pádua de Almeida. Rio de Janeiro, Z. Valverde, 1943. viii, 152 p.

CRITICAL REFERENCE: OLIVEIRA, D. Martins de. Moacyr de Almeida. Biblioteca da Academia Carioca de Letras. Cadernos 1. Rio de Janeiro, Sauer, 1942. 86 p.

ALVARENGA, Manoel Ignacio da Silva, 1749-1814. O desertor; poema heroico-comico. Coimbra, Na Real Offic. da Universidade, 1774. 69 p. Most Arcadian poet.

―――. Glaura; poems eroticos. Lisboa, Na. Offic. Nemesiana, 1798. 248 p.

―――. ―――. Prefácio do Afonso Arinos de Melo Franco. Rio de Janeiro, Imprensa Nacional, 1943. xxvii, 255 p. Based on edition of 1799.

―――. Obras poeticas. Collegidas, annotadas e precedidas do juizo critico dos escriptores nacionaes e estrangeiros e de uma noticia sobre o auctor e suas obras e acompanhadas de documentos historicos por J. Norberto de Souza S(ilva). Rio de Janeiro, H. Garnier, 19―. 2 v.

―――. O templo de Neptuno, por Alcindo Palmireno (pseud.), arcade ultramarino. Lisboa, Na. Regia officina typographica, 1777. 7 p.

————. As artes; poema que a Sociedade litteraria do Rio de Janeiro consagrou aos annos de S. M. F. a senhora D. Maria I. Lisboa, 1821. 13 p.

————. O canto dos pastores; ecloga. Lisboa, Na. Regia officina typographica, 1780. 7 p.

CRITICAL REFERENCES: AZEVEDO, Moreira de. Homens do Passado. Rio de Janeiro, Garnier, 1857. (Dr. Manoel Inácio da Silva Alvarenga, p. 5-114.) BARRETO, Abílio. Elogio de Silva Alvarenga. (In Revista da Academia Mineira de Letras, IV. 1936; p. 181-213.)

ALVES, Antônio de Castro, 1847-1871. A cachoeira de Paulo Affonso, poema original brasileiro. Com prefácio de Amador Santelmo. Rio de Janeiro, H. Atunes e Cia., 1920. 69 p. (1st ed., 1876.)

Alves is Brazil's most widely read Romantic poet, sharing honors with Gonçalves Dias.

————. Os escravos. Rio de Janeiro, S. J. Alves, 1883. (3rd ed. Rio, Antunes, 1920.)

————. Espumas flutuantes. Poemas. Preface by Afrânio Peixoto. Rio de Janeiro, Ministério da Educação e Saúde, Instituto Nacional do Livro, 1947. xxiii, 229 p. 30th ed. (1st ed., 1870.)

————. Obras completas de Castro Alves. Introd. e notas de Afrânio Peixoto. São Paulo, Nacional, 1938. 2 v.

Contents: 1. Espumas flutuantes e Hinos do Equador; 2. Os escravos, Gonzaga ou a revolução de Minas, Relíquias e Correspondência.

————. Obras completas. Ed. crítica, commemorativa do cincocentenario do poeta . . . com um retrato, introducção bibliographica e anotações de Afrânio Peixoto. Rio de Janeiro, F. Alves, 1921. 2 v.

Contents: 1. Introducção. Bibliographia de Castro Alves. Espumas flutuantes. Hinos do Equador. 2. Os escravos. Gonzaga, ou A Revolução de Minas. Várias inéditas. Correspondência.

————. Obras completas. Pref. by Agrippino Grieco. Rio de Janeiro, Z. Valverde, 1943. 2 v.

————. Poesias completas. Texto organizado por Jamil Almansur Haddad. São Paulo, Editôra Nacional, 1952. 500 p.

————. Poema inédito: Consuelo; seguido de Lindas cançonetas, monólogos, lundús, recitativos, modinhas, etc. São Paulo, Tip. a Vapor da Casa Endrizzi, n.d. 34 p.

————. Poesias até agora não reunidas em volume. Bahia, Livr. Catilina de Romualdo dos Santos, 1913. xiii, 192 p.

————. Poesias escolhidas. Selecção, prefácio de Homero Pires. Rio de Janeiro, Imprensa Nacional, Instituto Nacional do Livro, 1947. xxix, 436 p., illus.

————. Vozes d'África. Navio negreiro; tragedia no mar. Rio de Janeiro, S. J. Alves, 1880. 28 p. (Ed., Rio, Laemmert, 1905. 12 p.)

CRITICAL REFERENCES: AMADO, Jorge. ABC de Castro Alves. São Paulo, Martins, 1941. 386 p. ————. O amor de Castro Alves, história de um poeta e sua amante (em um prólogo, três atos e um epílogo). Rio de Janeiro, Edições do Povo, 1947. 185 p. BARROS, Leitão de. Como eu vi Castro Alves e Eugénia Câmara no vendaval marvilhoso de suas vidas. Lisboa, Livros de Portugal, 1949. 219 p. Regarding film on the subject, Vendaval maravilhoso. BUESCU, Victor. Analogias temáticas nos românticos brasileiros e romenos. (In Brasília, IV, 1949; p. 85-118.) Compares Castro Alves and the Romanian poet Mihail Eminescu (1850-1889). CALMON, Pedro. Vida e amores de Castro Alves. Rio de Janeiro, A Noite, 1935. 258 p. ————. História de Castro Alves. Rio de Janeiro, J. Olympio, 1947. 295 p. CARNEIRO, Edison. Castro Alves. Ensaios de compreensão. Rio de Janeiro, J. Olympio, 1937. 138 p.

CUNHA, Euclydes da. Castro Alves e seu tempo. 1907. (2nd ed., Rio de Janeiro, Grêmio Euclides da Cunha, 1919. 36 p.) DANTAS, Mercedes. O nacionalismo de Castro Alves. Rio de Janeiro, A Noite, 1941. 153 p. FERREIRA, H. Lopez Rodrigues. Castro Alves. Rio de Janeiro, Pongetti, 1947. 3 v. 1311 p. The most detailed biography ever dedicated to a Brazilian writer. GOLDBERG, Isaac. Brazilian Literature. New York, Alfred A. Knopf, 1922. (Castro Alves; p. 129-141.) HADDAD, Jamil Almansur. Alvares de Azevedo e Castro Alves. (In Provincia de São Pedro, no. 14, set.-dez., 1949; p. 93-101.) JUCÁ, Cândido (filho). A estrutura sonora do verso em Castro Alves. (In Cadernos, no. 19, 1949; p. 113-135.) MARQUES, Xavier. Vida de Castro Alves. 2nd ed. Rio de Janeiro, Anuário do Brasil, 1924. 264 p. Best biography. MATTOS, Waldemar. A Bahia de Castro Alves. 2d ed. São Paulo, Instituto Progresso Editorial, 1948. 174 p. ORNELLAS, Archimimo. Vida sentimental de Castro Alves. Bahia, Progresso, 1947. 102 p. PASSOS, Alexandre. Castro Alves, arauto da democracia e da república. Rio de Janeiro, Pongetti, 1947. 35 p. PEIXOTO, Afrânio. Poeira da Estrada. 1918. (Ed. Jackson, 1944. Paixão e glória de Castro Alves; p. 197-255.) RIBEIRO, Lourival. A doença de Castro Alves. Rio de Janeiro, Editorial Sul América, 1949. 132 p. SEGISMUNDO, Fernando. Castro Alves explicado ao povo. Rio de Janeiro, Letícia, 1947. 60 p. Socialist point of view. SILVA, M. Nogueira. Gonçalves Dias e Castro Alves. Rio de Janeiro, A Noite, 1943. 164 p.

AMADO, Gilberto, 1887-   . Suave ascensão. Rio de Janeiro, Jacinto Ribeiro dos Santos, 1917.
Neo-Parnassian.

ANCHIETA, José de, 1533-1597. Cantos de Anchieta; prefácio de Afrânio Peixoto. (In Primeiras letras [see below]; p. 1-201.) Rio de Janeiro,

Pub. Academia Brasileira de Letras, s.d.

————. Poesias. Introdução, seleção e notas por M. de L. de Paula Martins. São Paulo, Ed. Assunção, 1946. 95 p.

————. Primeiras letras. Cantos de Anchieta. O dialogo de João de Lery. Trovas indígenas. Rio de Janeiro, A. Pinto, 1923. Ed. by Afrânio Peixoto.

CRITICAL REFERENCES: BERETTARI, Sebastiano. Compendio de la vida de el apostol de el Brazil, nuevo thaumaturgo, y grande obrador de maravillas, V. P. Joseph de Anchieta de la Compañia de Jesús. Dalo a la estampa don Baltasar de Anchieta, Cabrera, y Sanmartin su sobrino. Xerez de Frontera, 1677. 85 p. HAMILTON, D. Lee. A vida e as obras de José de Anchieta. (In Hispania, XXVI, 4, Dec., 1943; p. 407-427.) MACHADO, Antônio de Alcântara. Anchieta na capitania de S. Vicente. Prêmio Capistrano de Abreu de 1928. Rio de Janeiro, 1929. 86 p. One of the best studies on Anchieta. PHILIPSON, Jürn Jacob. Em abono de Baptista Caetano. Nota a propósito de três poesias tupís atribuídas a Anchieta. São Paulo, Empresa Gráfica da Revista dos Tribunais, 1947. 35 p. VIDA del padre Joseph de Anchieta da la Compañia de Jesús, y provincial del Brasil. Traduzida de latin en castellano por Estevan de Paternina. Barcelona, E. Liberós, 1622.

ANDRADE, Carlos Drummond de, 1902-   . Alguma poesia. Belo Horizonte, Pindorama, 1930.
Poet representative of Minas.

————. Brejo das almas. Belo Horizonte, Os Amigos do Livro, 1934.

————. Claro enigma. Rio de Janeiro, J. Olympio, 1951. 128 p.
Poems of love, death, fate, and the mystery of human existence.

————. A mesa. Niterói, Hipocampo, 1951. Unpaged, unbound.
Evocation of the poet's dead, especially his father.

———. Poesias. Rio de Janeiro, J. Olympio, 1942. 220 p.

———. A Rosa do povo. Rio de Janeiro, J. Olympio, 1945.

———. Poesia até agora. Rio de Janeiro, J. Olympio, 1948. 257 p.

———. Sentimento do mundo. Rio de Janeiro, Pongetti, 1940. 119 p.

———. Viola de bôlso. Rio de Janeiro, Ministério da Educação e Saúde, Serviço de Documentação, 1952. 42 p.
Poems in the midstream of life.

CRITICAL REFERENCES: ANSELMO, Manuel. Família literária luso-brasileira. Rio de Janeiro, J. Olympio, 1943. (Drummond e as estrêlas, p. 80-87.) ATHAYDE, Tristão de. Estudos. 5a série. Rio de Janeiro, Civilização Brasileira, 1935; p. 121-124. BANDEIRA, Manuel. Apresentação da poesia brasileira. Rio de Janeiro, Casa do Estudante do Brasil, 1946; p. 135-138. BASTIDE, Roger. Poetas do Brasil. Curitiba, Guaíra, 1947; p. 77-83. CARPEAUX, Otto Maria. Origens e fins. Rio de Janeiro, Casa do Estudante do Brasil, 1943. (Fragmentos sôbre Carlos Drummond de Andrade; p. 329-338.) HOUAISS, Antônio. Poesia e estilo de Carlos Drummond. (In Cultura, Rio de Janeiro, I, 1, setembro-dezembro de 1948; p. 167-186.)

ANDRADE, José Maria Goulart de, 1881-1936. Névoas e flamas. Rio de Janeiro, Garnier, 1911.
Neo-Parnassian.

———. Numa nuvem; fantasia romântica em dois episódios. (In verse.) Rio de Janeiro, J. Silva, 1911. 77 p.

———. Ocaso. Rio de Janeiro, Renascença 1934.

———. Poesias, 1900-1905. Rio de Janeiro, Paris, Garnier, 1907. 162 p.
Contents: Livro bom. Livro proibido. Livro íntimo.

———. Poesias. 2a série, 1908-1909: Névoas e flamas. Rio de Janeiro, Paris, Garnier, 1911. 84 p.

CRITICAL REFERENCE: LIMA SOBRINHO, Barbosa. Discurso de posse. (In Revista da Academia Brasileira de Letras, LV, 1938; p. 8-39.)

ANDRADE, José Oswald de Sousa, 1890-. Pau Brasil: cancioneiro. Prefácio de Paulo Prado. Paris, Au Sans Pareil, 1925. 112 p.
Modernista.

———. Poesias reunidas. Um prefácio de Paulo Prado, ilustrações de Tarsila, de Lasar Segall e do autor. São Paulo, Edições Gaveta, 1945. 172 p.

———. Primeiro caderno de aluno de poesias Oswald de Andrade, 1927.

CRITICAL REFERENCES: BANDEIRA, Manuel. Apresentação da poesia brasileira. (Rio de Janeiro, Casa do Estundante do Brasil, 1946; p. 148-151.) BASTIDE, Roger. Poetas do Brasil. Curitiba, Guaíra, 1947. (Oswald de Andrade; p. 49-53.) FRANCO, Afonso Arinos de Melo. Oswald de Andrade, Pau Brasil. (In Revista do Brasil, 2a fase, II, 1, 30 de setembro de 1926; p. 27-38.) PRADO, Paulo. Poesia Pau-Brasil. (In Revista do Brasil, 1a fase, no. 106, outubro de 1924; p. 108-111.) One of the manifestoes of Modernism.

ANDRADE, Mário Raul Moraes de, 1893-1945. Há uma gota de sangue em cada poema. V. I. Obras completas. São Paulo, Martins, 1944. (1st ed., 1917.)
Leader of the Modernista movement.

———. A escrava que não é Isaura. São Paulo, Lealdade, 1925.

———. Clã de Jabotí. São Paulo, Eugênio Cupolo, 1927.

———. Lira Paulista, seguida de O carro da miséria. São Paulo, Martins, 1946. 90 p.
Posthumous verses.

———. Losango Cáqui. São Paulo, Antônio Tisi, 1926.

———. Paulicéia desvairada. São Paulo, Mayença, 1922.

————. Poesias. São Paulo, Martins, 1941.

————. Remate de Males. São Paulo, Eugênio Cupolo, 1930.

CRITICAL REFERENCES: ATHAYDE, Tristão de. Estudos. 1a série. Rio de Janeiro, Terra do Sol, 1927. Atualidades, p. 58-66; Sinais, p. 67-76.) ————. Estudos. 2a. série. 2a. ed. Rio de Janeiro, Civilização Brasileira, 1934. (Romancistas ao sul; p. 26-29.) ————. Estudos. 5a. série. Rio de Janeiro, Civilização Brasileira, 1935. (Mais vozes de perto; p. 125-133.) BANDEIRA, Manuel. Apresentação da poesia brasileira. Rio de Janeiro, Casa do Estudante do Brasil, 1946; p. 143-148. ————. Mário de Andrade e a questão da língua. (In Anhembi, ano 2, VIII, 23, out. 1952; p. 291-301.) BESOUCHET, Lydia e FREITAS, Newton de. Literatura del Brasil. Buenos Aires, Ed. Sudamericana, 1946. (Mário de Andrade; p. 91-111.) FREITAS, Otávio de (júnior). Ensaios de crítica de poesia. Recife, Publicações Norte, 1941; p. 33-64. HOMENAGEM A MÁRIO DE ANDRADE. (In Revista do arquivo municipal, São Paulo, ano 12, v. CVI, jan-fev., p. 7-196.) IVO, Lêdo. Lição de Mário de Andrade. Rio de Janeiro, Ministério da Educação e Saúde, Serviço de Documentação, 1952. 22 p. LACERDA, Carlos. Sinceridade e poesia. (In Revista Acadêmica, no. 60, maio de 1942.) LIMA, Jorge de. Dois ensaios. Maceió, Casa Ramalho, 1929; p. 87-90, 126-138. On Macunaíma. MARTINS, Wilson. Interpretações. Rio de Janeiro, J. Olympio, 1946. (Inventário de Mário de Andrade; p. 153-185.) VICTOR, Nestor. Os de hoje. São Paulo, Cultura Moderna, 1938; p. 153-173.) URIBE-ECHEVARRÍA, Juan. Homenaje a Mário de Andrade. (In Atenea, año 22, tomo 80, no. 239, mayo, p. 120-132.)

ANJOS, Augusto de Carvalho Rodrigues dos, 1884-1914. Eu e outras poesias. Com um estudo de Antônio Torres.

Décima-quarta ed. Rio de Janeiro, Ed. Bedeschi, 1946. 272 p. (1st ed., 1912. 16th ed., 1948.)

CRITICAL REFERENCES: CARVALHO, Álvaro de. Augusto dos Anjos e outros ensaios. João Pessoa, Departamento de Publicidade, 1946. (Augusto dos Anjos; p. 11-98.) ————. Revelações de Eu. Ensaio de psicologia sôbre Augusto dos Anjos. Paraíba do Norte, Imprensa Oficial, 1920. 52 p. MELO, A. L. Nobre de. Augusto dos Anjos e as origens de sua arte poética. Rio de Janeiro, J. Olympio, 1952. 95 p. SILVA, de Castro e. Augusto dos Anjos, poeta da morte e da melancolia. Curitiba, Rio de Janeiro, São Paulo, Ed. Guatra, 1945. 214 p. SOARES, Orris. Elogio de Augusto dos Anjos. Prefácio de Eu e outras Poesias. Paraíba do Norte, Imprensa Oficial, 1919. Found in all other editions. In 16th: Rio de Janeiro, Bedeschi, 1948; p. 23-46.

ARAÚJO, Murillo, 1894-   . A cidade de ouro. 1921. (2nd ed. Rio de Janeiro, Brasil Editôra, 1933.) Grupo espiritual.

————. A escadaria acesa. Rio de Janeiro, Civilização Brasileira, 1942.

————. Iluminação da vida. Rio de Janeiro, Benedito de Sousa, 1927.

————. A luz perdida. Rio de Janeiro, 1952. 130 p.

————. As sete côres do céu. Rio de Janeiro, Livr. Católica, 1933. 132 p.

CRITICAL REFERENCES: MURICY, Andrade. A nova literatura brasileira, Pôrto Alegre, 1936; p. 113-117. VICTOR, Nestor. Os de hoje. São Paulo, Cultura Moderna, 1938. (Murilo Araújo; p. 105-115.)

ASSIS, Joaquim Maria Machado de, 1839-1908. Americanas; poesias. Rio de Janeiro, Garnier, 1875. 219 p. 1st ed.

————. Crisálidas; poesias. Com um prefácio do dr. Caetano Filgueiras.

Rio de Janeiro, B. L. Garnier, 1864. 178 p.

―――. Falenas; poesias. Rio de Janeiro, B. L. Garnier, 1870. 216 p.

―――. Poesias Completas. Rio de Janeiro, Garnier, 1902. 376 p.
Contents: Crisálidas, Falenas, Americanas, and Ocidentais.

CRITICAL REFERENCE: SILVA, Antônio Joaquim da. A poesia de Machado de Assis. (*In* Revista da Academia Brasileira de Letras, LVIII, 1939; p. 71-86.)

AZEREDO, Carlos Magalhães de. Verão e outono (1920-1935). Rio de Janeiro, Jornal do Comércio, 1950. 184 p.

AZEVEDO, Manoel Antônio Álvarez de, 1831-1852. Obras. Ed. by Jaci Monteiro. 2nd ed. Rio de Janeiro, Garnier, 1862. 3 v.

―――. Obras Completas de. . . . Ed. organizada e anotada por Homero Pires. São Paulo, Nacional, 1942. 2 v.
Contents: 1. Lira dos 20 anos, Poesias diversas, O poema do frade, and O Conde Lopo. 2. Macário, Noite na taverna, O livro de fra Condicario, Estudos literários, Literatura e civilização em Portugal, Discursos, Cartas e Bibliografia Álvaresiana.

―――. Obras completas. 1st v. rev. and with pref. by Atílio Milano. 2nd v. revised and with pref. by Edgard Cavalheiro. Rio de Janeiro, Z. Valverde, 1943. 2 v.

―――. A noite na taverna; cantos fantásticos. Precedidos de um esboço biographico pelo dr. Joaquim Manoel de Macedo. Rio de Janeiro, B. L. Garnier, 18―? (1st ed., Lisboa, 1878.)

―――. A noite na taverna and Macário. Ed. by Edgard Cavalheiro. São Paulo, Martins, 1941.

CRITICAL REFERENCES: ANDRADE, Mário de. O Aleijandinho e Álvarez de Azevedo. Rio de Janeiro, Ed. Revista Acadêmica, 1935; p. 67-134. A penetrating analysis of romantic erotism. AZEVEDO, Vicente de Paulo Vicente de. Antônio Álvarez de Azevedo. São

Paulo, Revista dos Tribunais, 1931. 215 p. GOMES, Eugênio. Alvares de Azevedo. (*In* Jornal de letras, IV, 34, abril, 1952; p. 6-7.) LEITE, Manoel Cerqueira. O estudante Manuel Antônio Alvares de Azevedo. (*In* Revista de História, São Paulo, III, 12, out.-dez., 1952; p. 373-383.) MONTEIRO, Domingos Jaci. Discurso biográfico de Manuel Antônio Álvarez de Azevedo. Pref. to ed. of Obras, 2nd ed. Rio de Janeiro, 1862. V. I, p. 5-34. MONTENEGRO, Tulo Hostílio. Tuberculose e literatura. Rio de Janeiro, s.e., 1949; p. 57-61. PIRES, Homero. Álvarez de Azevedo. Rio de Janeiro, Academia Brasileira de Letras, 1931 96 p. Good biobibliographical study. ROMERO, Sílvio. História da literatura brasileira. 1888. (3rd ed. Rio de Janeiro, J. Olympio, 1943. V. III, p. 266-285.) SOUTO, Luís Felipe Vieira. Dois românticos brasileiros. Rio de Janeiro, Imprensa Nacional, 1931; p. 7-32.

BAIRÃO, Reynaldo. O primeiro dia. Poemas em prosa. Rio de Janeiro, Orfeu, 1950. 59 p.

BANDEIRA, Manuel Carneiro de Sousa, 1886- . Carnaval. Rio de Janeiro, Tip. Jornal do Comércio, 1919.
Bandeira was the mouthpiece of Modernism and is considered by some critics as the greatest poet of Brazil.

―――. A Cinza das Horas. Rio de Janeiro, Tip. Jornal do Comércio, 1917.

―――. Estrêla da manhã. Rio de Janeiro, Ministério da Educação e Saúde, 1936.

―――. Libertinagem. Rio de Janeiro, Pongetti, 1930.

―――. Lira dos Cinquant'anos, 1940.

―――. Mafuá de Malungo. Jogos onomásticos e outros versos de circunstância. Barcelona, Livro Inconsútil, 1948. 77 p.

―――. Poemas traduzidos . . . com ilustrações de Guignard. Rio de Janeiro, R. A. Editôra, 1945. 129 p.

————. Poemas traduzidos. Pôrto Alegre, Globo, 1948. 178 p.
An enlarged edition of the author's earlier volume of translations.

————. Poesias. Rio de Janeiro, Revista da Língua Portuguêsa, 1924.

————. Poesias completas (de) Manuel Bandeira. Rio de Janeiro, Civilização Brasileira, 1940. 178 p.

————. Poesias completas. Nova edição aumentada. Rio de Janeiro, Casa do Estundante do Brasil, 1948. 349 p.

————. ————. 5a ed., aumentada. Rio de Janeiro, Casa do Estudante do Brasil, 1951. 224 p.
Includes 14 new compositions and some alterations in earlier works.

————. Poesias escolhidas. Rio de Janeiro, Pongetti, 1948. 222 p.

CRITICAL REFERENCES: ANSELMO, Manuel. Família literária luso-brasileira. Rio de Janeiro, J. Olympio, 1943. (A poesia psicológica de Manuel Bandeira; p. 31-38.) ATHAYDE, Tristão de. Estudos. 5a série. Rio de Janeiro, Civilização Brasileira, 1935. (Vozes de perto; p. 113-121.) BASTIDE, Roger. Poetas do Brasil. Curitiba, Guaíra, 1947. (Manuel Bandeira; p. 39-48.) CAMPOS, Paulo Mendes. Documentos da vida literária. Manuel Bandeira fala de sua obra. (In Provincia de São Pedro, no. 13, março-junho, 1949; p. 164-172.) CARPEAUX, Otto Maria. Notícia sôbre Manuel Bandeira. (In Bandeira, Manuel. Apresentação da poesia brasileira. Rio de Janeiro, Casa do Estudante do Brasil, 1946; p. 7-17.) FREYRE, Gilberto. Perfil de Euclides e outros perfis. Rio de Janeiro, J. Olympio, 1944. (Manuel Bandeira, recifense; p. 175-181.) HOLLANDA, Sérgio Buarque de. Cobra de vidro. São Paulo, Martins, 1944. (O mundo de poeta; p. 28-34.) HOMENAGEM A MANUEL BANDEIRA. Rio de Janeiro, Tip. Jornal do Comércio, 1936. Collection of studies on Bandeira by leading critics. LINS, Álvaro. Jornal de crítica. 1a série. Rio

de Janeiro, J. Olympio, 1941; p. 38-43. MONTEIRO, Adolfo Casais. Manuel Bandeira. Lisboa, Inquérito, 1943. 92 p. With anthology. SIMON, Michel. Prefácio da edição francêsa de Manuel Bandeira: Guia d'Ouro Prêto. Rio de Janeiro, Ministério das Relações Exteriores, 1948; p. 4-9; Bibliography; p. 159-160.

BARBOSA, Domingos Caldas, 1738?-1800. Viola de Lereno; coleção das suas cantigas oferecidas aos seus amigos. Lisboa, 1798, 1826. 2 v.
Cada volume se compõe de oito fascículos de 32 p., que se imprimiam e se vendiam separadamente.

————. ————. Ed. por Francisco de Assis Barbosa. Rio de Janeiro, Instituto Nacional do Livro, 1944. 2 v.
See preface to above edition.

BARCELLOS, Ramiro Fortes. Antônio Chimango; poemeto campestre, por Amaro Juvenal (pseud.). Pôrto Alegre, 1915. 67 p.
"Sátira política em versos ao Sr. Borges de Medeiros que durante vinte e cinco anos ocupou a presidência do Estado do Rio Grande do Sul."

BARROS, Domingos Borges de, Visconde de Pedra Branca, 1779-1855. Poesias oferecidas as senhoras brasileiras. Paris, Farcy, 1825. 2 v.

————. Novas poesias oferecidas as senhoras brasileiras por um bahiano. Rio de Janeiro, E. H. Laemmert, 1841. 131 p.

————. Os túmulos. Com um estudo de Afrânio Peixoto. Rio de Janeiro, Academia Brasileira de Letras, 1946. (First published in 1825.)

BENAVIDES, Artur Eduardo. A valsa e a fonte. Fortaleza, Clã, 1950. 70 p.

BILAC, Olavo Braz Martins dos Guimarães, 1865-1918. O caçador de esmeraldas. Buris originais de R. Bianco. Rio de Janeiro, Cem Bibliófilos do Brasil, 1949 (i.e., 1951). 118 p.
Parnassian.

———. Poesias. 19th ed. rev. Rio de Janeiro, Alves, 1942. 391 p. (23rd ed., 1949.)
Contents: Panóplias, Via látea, Sarças de fogo, Alma inquieta, As viagens, O caçador de esmeraldas and Tarde. (Note: the 1st ed., 1888, had only the first three works. The 2nd ed. added Alma inquieta, As viagens, and O caçador de esmeraldas. Tarde, a sonnet collection, appeared in 1919.)

———. Sagres. Rio de Janeiro, Tip. Jornal do Comércio, 1898.

CRITICAL REFERENCES: BITTENCOURT, Liberato. Olavo Bilac, ou singular teorema de psicologia literária. Rio de Janeiro. Oficina Ginásio 28 de Setembro, 1937, 151 p. CARVALHO, Affonso de. Poética de Olavo Bilac. Rio de Janeiro, Civilização Brasileira, 1934. 204 p. CAVALCANTI, Óscar de Hollanda. O artista da forma e da beleza: estudos sôbre a vida e obra de Olavo Bilac. Pôrto Alegre, Tip. Escola de Engenharia, 1925. 112 p. COSTA, Fernandes. Elogio acadêmico de Olavo Bilac. Lisboa, Aillaud e Bertrand, 1919. 48 p. GOLDBERG, Isaac. Brazilian Literature. New York, Alfred A. Knopf, 1922. (Olavo Bilac, p. 188-209.) LEITE, Gomes. Olavo Bilac. Rio de Janeiro, Brasil Editôra, 1919. 31 p. MONTEIRO, Mário. Bilac e Portugal. Lisboa, Agência Editorial Brasileira, 1936. 256 p. NÓBREGA, Melo. Olavo Bilac. Rio de Janeiro, Coeditora, 1939. 150 p. ORCIUOLI, Henrique. Bilac, vida e obra. Curitiba, Guaíra, 1941. 185 p. PEREIRA RODRÍGUEZ, José. La Poesía de Olavo Bilac. Montevideo, Imp. Uruguaya, 1945. 34 p.

BOPP, Raul, 1898-   . Cobra norato, nheengatu da margem esquerda do Amazonas. São Paulo, 1931. 75 p. (2nd ed., 1937.)
One of the most celebrated works of the *Modernista* period.

———. Cobra norato e outros poemas. Rio de Janeiro, Blach, 1951. 77 p. Reprint.

———. Urucungo. Rio de Janeiro, Ariel, 1933.
Poems about the Negro.

———. Poesias. Zurich, Switzerland, Orell, Fuessli, 1947.

CRITICAL REFERENCE: ANDRADE, Carlos Drummond de. A volta de Raul Bopp. (*In* Correio da Manhã. Rio de Janeiro, 17 de agôsto de 1947.)

BRUZZI, Nilo. Poesias. Rio de Janeiro, Aurora, 1952. 223 p.

CABRAL, Francisco Marcelo. O centauro. Catalaguases, Edições Meia-Pataca, 1949. 72 p.

CALDAS, Onestaldo de Pennafort. Espelho d'água, jogos da noite. Rio de Janeiro, Terra do Sol, 1931. 127 p.
Other works: Escombros floridos, 1921; Perfume e outros poemas, 1924; Interior e outros poemas, 1927.
Translations: Festas galantes, of Verlaine, 1934; and Romeu e Julieta, of Shakespeare, 1940.

CAMPOS, Haroldo de. Auto do possesso. São Paulo, Cadernos do Clube de Poesia, 1950. 38 p.

CAMPOS, Narcisa Amália de Oliveira, 1852-1924. Nebulosas. Rio de Janeiro, Garnier, 1872.
Romantic poetess with social tendencies.

CRITICAL REFERENCE: REIS, Antônio Simões dos. Narcisa Amália. Rio de Janeiro, Organização Simões, 1949. 192 p. Complete monograph with anthology and bibliography. Narcisa Amália was discovered by dos Reis.

CAMPOS, Susana de. Missal de amor e de carinho. São Paulo, Martins, 1948. 137 p.

CARDOSO, Lúcio, 1913-   . Novas poesias. Rio de Janeiro, J. Olympio, 1944. 80 p.

———. Poesias. Rio de Janeiro, J. Olympio, 1941. 102 p.

CARLOS, Frei Francisco de São, 1768-1829. Assunção da Santíssima Virgem. Rio de Janeiro, Tip. Régia, 1819. (New ed., Rio de Janeiro, Garnier, 1862.)
Neoclassic, sacred poet.

CRITICAL REFERENCE: PINHEIRO, Joaquim Caetano Fernandes. Curso elementar de literatura nacional. Rio de Janeiro, Garnier, 1862; p. 507-514.

CARNEIRO, André. Ángulo e face. São Paulo, Cadernos do Clube de Poesia, 2, 1949. 34 p.

CARVALHO, José Luiz de (filho). Face oculta. Salvador da Bahia, Editôra Confiteor, 1947. 262 p.
Modernist poet of the Northeast.

CARVALHO, Ronald de, 1893-1935. Epigramas irônicos e sentimentais. Rio de Janeiro, Anuário do Brasil, 1922.
Modernista.

————. Jogos pueris. 1926.

————. Luz gloriosa. 1913.

————. Poemas e sonetos. Rio de Janeiro, Leite Ribeiro, 1919.

————. Tôda a América. Rio de Janeiro, Pimenta de Melo, 1926. 150 p.

CRITICAL REFERENCES: ATHAYDE, Tristão de. Primeiros estudos. Rio de Janeiro, Agir, 1948. (Ronald, poeta, p. 35-39; Ronald, prosador, p. 134-141.) BANDEIRA, Manuel. Apresentação da poesia brasileira. Rio de Janeiro, Casa do Estudante do Brasil, 1946; p. 151-154. BARROS, Jaime de. Espêlho dos livros. Rio de Janeiro, J. Olympio, 1936. (Mundo em formação; p. 73-81. Poeta e pensador da América; p. 145-163.) GRIECO, Agrippino. Caçadores de símbolos. Rio de Janeiro, Leite Ribeiro, 1923. (Ronald de Carvalho; p. 95-135.) SILVEIRA, Paulo. Asas e patas. Rio de Janeiro, Benjamin Costallat e Miccolis, 1926. (Entre rosas e carambolas; p. 29-35.)

CARVALHO, Vicente Augusto de, 1866-1924. Poemas e canções. Prefácio de Euclides da Cunha. 11th ed. São Paulo, Nacional, 1942. (1st ed., 1908. 15th ed., São Paulo, Nacional, 1946.)

————. Relicario. Santos, Tip. O Diário, 1888.

————. Rosa, rosa de amor. Rio de Janeiro, Laemmert, 1902.

CRITICAL REFERENCES: CARVALHO, Maria da Conceição Vicente de and CARVALHO, Arnaldo Vicente de. Vicente de Carvalho. Rio de Janeiro, Academia Brasileira de Letras, 1943. 149 p. Biography with good bibliography. VIEIRA, Hermes. Vicente de Carvalho, o sabiá da ilha do sol; biocrítica. 2a ed. São Paulo, Revista dos Tribunais, 1943. 297 p.

CASTRO, Aloysio. Poesias completas. Rio de Janeiro, Vecchi, 1951. 359 p.

CAYMMI, Dorival. Cancioneiro da Bahia. Pref. by Jorge Amado. 2nd ed. São Paulo, Martins, 1947. 156 p.
Ballads about the city of Bahia.

CEARENSE, Catullo da Paixão. 1863-   . Alma do sertão: Desafios, A mulher julgada pelos homens. Rio de Janeiro, Leite Ribeiro, 1928. 221 p.

————. Um bohemio no céu. 2 ed. augm. Rio de Janeiro, A Noite, 1938.

————. Um caboclo brasileiro. Poesias. Rio de Janeiro, A Noite, 1946. 199 p.

————. Fábulas e alegorias. Rio de Janeiro, A Noite, 1946. 251 p.

————. Meu sertão. Prefácio de Afrânio Peixoto e Alberto d'Oliveira. 5th ed. Rio de Janeiro, Castilho, 1925. 291 p. (1st ed., 1918.)

————. O milagre de São João. Rio de Janeiro, A Noite, 1942. 187 p.

————. Novos cantares, por . . .; com as apreciações dos Drs. Rocha Pombo, Luiz Murat, Egas Moniz (Pethion de Villar) e Alberto de Oliveira. Rio de Janeiro, Quaresma, 1909. 260 p.

————. Poemas bravios. Nova ed., rev. pelo autor. Rio de Janeiro, Bedeschi, 1939. 279 p.

————. Sertão em flor; prefácio do dr. Mário de Alencar. 6th ed. Rio de Janeiro, Bedeschi, 1939. 256 p.

————. O sol e a lua. Poesia. Prefácios de Sales Filho, J. P. Porto-Carrero,

Georges Dumas. 3rd ed. Rio de Janeiro, A Noite, 1946. 190 p.
Other works: Sertão em flor, 1920; Poemas bravios, 1921; Meu Brasil, 1938; and O milagre de São João, 1942.

―――. Poemas escolhidos. Rio de Janeiro, Z. Valverde, 1944. 392 p. Ed. and annot. by Guimarães Martins.

CRITICAL REFERENCE: ARAÚJO, Murillo. Ontem ao luar. Vida romântica do poeta do povo Catullo da Paixão Cearense. Rio de Janeiro, A Noite, 1951. 191 p.

CÉSAR, Manoel Cerqueira. Terra verde. Poesias. Prefácio de Fernando Azevedo. São Paulo, Editôra Brasiliense, 1946.

COELHO, José Francisco. Memorial do coração. Rio de Janeiro, Atril, 1950. 69 p.

CORRÊA, Raimundo da Mota Azevedo, 1860-1911. Aleluias; poesias, 1888-1890. Intro. by Afonso Celso de Assis Figueiredo. Rio de Janeiro, 1891. xii, 219 p.

―――. Poesias. 4th ed. Rio de Janeiro, Anuário do Brasil, n.d. 310 p. illus. (1st ed., 1898.)

―――. Poesias completas de. . . . Organização, prefácio e notas de Múcio Leão. São Paulo, Editôra Nacional, 1948. 2 v.

―――. Primeiros sonhos; poesias. São Paulo, Tip. Tribuna Liberal, 1879. 1st ed.

―――. Sinfonias; poesias. Com uma introdução de Machado de Assis. Rio de Janeiro, Livr. Faro e Lino, 1883. 198 p. 1st ed.

―――. Versos e versões; poesias, 1883-1886. Rio de Janeiro, Moreira Maximino e Cia., 1887. 213 p.

CRITICAL REFERENCES: RAIMUNDO CORREIA. (*In* Revista da Academia Brasileira de Letras, ano 46, v. LXXIII, jan.-junho de 1947; p. 3-30.) LINHARES, Augusto. Raimundo Correia.

Carta de guia de letrados indespensável à leitura e melhor compreensão da novíssima Edição Virgulina das Poesias completas. Rio de Janeiro, Tip. Jornal do Comércio, 1949. 33 p. PEIXOTO, Afrânio. Poeira de estrada. 1918. (3rd ed. Rio de Janeiro, Jackson, 1944. Um sábio e um poeta; p. 104-134.) RIBEIRO, João. Notas de um estudante. São Paulo, Monteiro Lobato, 1921. (A arte de emendar em Raimundo Correia; p. 35-50.) Excellent study. SEQUEIRA, F. M. Bueno de. Raimundo Correia. Rio de Janeiro, Academia Brasileira de Letras, 1942. 224 p.

COSTA, Cláudio Manuel da, 1729-1789. Obras poéticas de. . . . Glauceste Saturnio (pseud.). Nova ed. com um estudo sôbre a sua vida e obras, por João Ribeiro. Rio de Janeiro, Garnier, 1903. 2 v. (1st ed., 1768.) Arcadian poet.
Contents: 1. Sonetos, éclogas, epístolas, fábulas e epicédios; 2. Romances, cantatas, cançonetas, poesias inéditas, and the poem Vila Rica.

―――. Villa Rica; poema de Claudio Manoel da Costa, arcade ultramarino, com o nome de Glauceste Saturnio. Offerecido ao Illm. e Exm. Sr. José Antonio Freire de Andrada, conde de Bobadella, etc., no anno de 1773. Ouro Preto, Typ. do Estado de Minas, 1897. xxx, 95 p.

CRITICAL REFERENCE: FRANCO, Caio de Melo. O inconfidente Claúdio Manoel da Costa. O Parnaso obsequioso e as Cartas Chilenas. Rio de Janeiro, Schmidt, 1931. 258 p. Outstanding biography.

COUTO, Ruy Ribeiro, 1898- . Arc en ciel. Paris, La Presse à bras, 1949. 17 p. Prose and poetry.
Couto turned from Symbolism to the Modernist school.

―――. Cancioneiro de dom Afonso. 1939.

―――. Cancioneiro da ausente. São Paulo, Martins, 1943.

―――. Dia longo; poesias escolhidas (1915-1943). Lisboa, Portugalia Editôra, 1944. 383 p.

————. O jardim das confidências. São Paulo, Monteiro Lobato, 1921.

————. Um homem na multidão. Rio de Janeiro, Odeon, 1926.

————. Noroeste, e outros poemas do Brasil. São Paulo, Editôra Nacional, 1933. 89 p.

————. Poemetos de ternura e de melancolia. 1924.

————. Poesia. Rio de Janeiro, Civilização Brasileira, 1934. 221 p.
Contents: O jardim das confidências and Poemetos de ternura e de melancolia.

————. Provincia. 1933.

CRITICAL REFERENCES: ATHAYDE, Tristão de. Estudos. 1a série. Rio de Janeiro, Terra do Sol, 1927. (À margem de dos poetas; p. 47-57.) ————. Estudos. 3a série. la parte. Rio de Janeiro, A Ordem, 1930. (O nosso Vildrac; p. 190-222.) BANDEIRA, Manuel. Apresentação da poesia brasileira. Rio de Janeiro, Casa do Estudante do Brasil, 1946; p. 154-157.) MONTALEGRE, Duarte de. Ribeiro Couto, poeta da serenidade. (In Brasília, IV, 1949; p. 69-83.) MONTEIRO, Adolfo Casais. A poesia de Ribeiro Couto. Lisboa, Presença, 1935. 46 p.

CRESPO, Antônio Cândido Gonçalves, 1847-1883. Obras completas. Prefácio de Afrânio Peixoto. Rio de Janeiro, Livros de Portugal, s. d. 332 p. (Ed., Lisboa, 1897.)
Contents: Miniaturas, 1871; Noturnos, 1883; Prosas, Medalhas.

CUNHA, Olegario Mariano Carneiro da. Poesias escolhidas. Rio de Janeiro, Freitas Bastos, 1922. 146 p.
Poetic works: Visões de moço, 1906; Angelus, 1911; XIII sonetos, 1912; Evanhelho da sombra e do silêncio, 1912; Água corrente, 1917; Últimas cigarras, 1920; Cidade maravilhosa, 1922; Castelos na areia, 1923; Ba-ta-clan, 1927; Canto da minha terra, 1930; Destino, 1931; Poemas de amor e de saudade, s.d.; Vida, caixa de brinquedos, 1933.

DIAS, Antônio Gonçalves de, 1823-1864. Cantos; collecção de poesias. 5th ed. Leipzig, 1877. 2 v.

Gonçalves Dias is considered with Castro Alves as one of the greatest Romantic poets of Brazil.

————. Obras poéticas; organização, apuração do texto, cronologia e notas por Manuel Bandeira. São Paulo, Nacional, 1944. 2 v.
Best and definitive edition.
Contents: 1. Cronologia de Gonçalves Dias, Cantos, e Sextilhas de Frei Antão. 2. Últimos cantos, hinos, os Timbiras and Versos póstumos.

————. Obras posthumas. Precedidas de uma noticia da sua vida e obras pelo Dr. Antônio Henriques Leal. São Luís do Maranhão, B. de Mattos, 1868-1869. 6 v. Ed., Rio de Janeiro, Paris, H. Garnier, 1909. li, 352 p.

————. Obras posthumas. O Brasil e a Oceania. Paris, Rio de Janeiro, H. Garnier, 1909. vi, 355 p.

————. Obras posthumas. Meditação. Rio de Janeiro, Paris, H. Garnier, 1909. 326 p.
Contents: Meditação (fragmento) Memórias de Agapito. Um anjo. Viagem pelo rio Amazonas (cartas do "Mundus Alter"). História pátria.

————. Poesias. 5a edição, augmentada com muitas poesias, inclusive os Tymbiras, e cuidadosamente revista pelo sr. dr. J. M. de Macedo. Precedidas da biographia do autor pelo dr. J. C. Fernandes Pinheiro. Rio de Janeiro, n.d. 2 v.

————. Poesias. Nova ed., organizada e revista por J. Norberto de Sousa Silva e precedida de uma noticia sôbre o autor e suas obras pelo doutor Fernandes Pinheiro. Rio de Janeiro, 1919? 2 v.

————. Poesias completas. Rio de Janeiro, Z. Valverde, 1944. 2 v. Revised ed., with pref. by J. Montello.

————. Poesias completas. Introdução de Mário da Silva Brito. Organização, revisão e notas de Frederico José da Silva Ramos. São Paulo, Saraiva, 1950. 814 p. Pocket edition.

————. Primeiros cantos. Rio de Janeiro, Laemmert, 1846. 259 p.

———. Segundos cantos, e sextilhas de Frei Antão. Rio de Janeiro, Tip. de José Ferreira Monteiro, 1848. 295 p.

———. Os Tymbiras; poema americano. Rio de Janeiro, 1848. (Ed., Leipzig, F. A. Brockhaus, 1847. 91 p.)

———. Últimos cantos. Rio de Janeiro, Tip. de F. de Paula Brito, 1851. 299 p.

CRITICAL REFERENCES: ABREU, Capistrano de. Ensaios e Estudos. I. Rio de Janeiro, Sociedade Capistrano de Abreu, 1931. (A literatura brasileira contemporânea; p. 61-107.) On Indianism of Dias. BANDEIRA, Manuel. Gonçalves Dias. Esbôço biográfico. Rio de Janeiro, Pongetti, 1952. 233 p. CASTRO, Alfredo de Assis. Gonçalves Dias. São Luís do Maranhão, Ramos d'Almcida, 1926. 46 p. GONÇALVES DIAS. Conferências realizadas na Academia Brasileira de Letras, 1948. 137 p. Lectures given in 1943 on Dias by members of the Brazilian Academy. MONTELLO, Josué. Gonçalves Dias. Ensaio biobibliográfico. Rio de Janeiro, Academia Brasileira de Letras, 1942. 176 p. PARANHOS, Haroldo. História do romantismo no Brasil. V. II. São Paulo, Cultura Brasileira, 1938; p. 74-105. PEREIRA, Lúcia Miguel. A vida de Gonçalves Dias. Contento o diário inédito da viagem de Gonçalves Dias ao Rio Negro. Rio de Janeiro, J. Olympio, 1943. 424 p. An important biographical-critical study. PINHEIRO, Joaquim Caetano Fernandes. Notícia sôbre a vida e obras de Antônio Gonçalves Dias. Intro. to 6th ed. of Poesias. Rio de Janeiro, Garnier, 1870. V. I., p. 21-37. ROMERO, Sílvio. História da literatura brasileira. 1888. (3rd ed. Rio de Janeiro, J. Olympio, 1943. V. III., p. 231-263.) SILVA, M. Nogueira da. Gonçalves Dias e Castro Alves. Rio de Janeiro, A Noite, 1943. 164 p.
———. Bibliografia de Gonçalves Dias. Rio de Janeiro, Ministério da Educação e Saúde, 1942—. 203 p.

DURÃO, Frei José de Santa Rita, 1720(?)-1784. Caramurú, poema épico do descobrimento da Bahia. São Paulo, Ed. Cultura, 1945. 247 p. Reprint of the 18th-century epic, 1781.

———. Caramurú; poema épico do descobrimento da Bahia. Ed. precedida da biographia do autor pelo Visconde de Porto-Seguro. Rio de Janeiro, Paris, Livr. Garnier, 1913. xvi, 244 p.

———. Caramurú: poema épico do descobrimento da Bahia, por Frei José de Santa Rita Durão; com biografia do poeta por F. A. de Varnhagen. Rio de Janeiro, Garnier, s.d. 244 p.

———. Caramurú: Poema épico do descobrimento da Bahia, composto por Fr. José de Santa Rita Durão, da Ordem dos Eremitas de Santo Agostinho, natural da Cata-Preta nas Minas Geraes. Lisboa, Na Regia officina typographica, anno M.DCC.LXXXI. Com licença da Real Meza Censoria. 307 p.

CRITICAL REFERENCES: MORAES, Eugênio Vilhena de. Segundo centenário do nascimento de Frei José de Santa Rita Durão. (*In* Revista do Instituto Histórico e Geográfico. Brasileiro, XCIX, 1928; p. 185-218.) VIEGAS, Artur (Pseud. de P. Antunes Vieira, S. J.). O poeta Santa Rita Durão, Revelações históricas da sua vida e do seu século. Bruxelas, Gaudio, 1914. lxxxv, 355 p. An indispensable work.

DUTRA, Osório. Tempo perdido. Rio de Janeiro, Pongetti, 1946. 107 p.

FACÓ, Américo. Poesia perdida. Rio de Janeiro, J. Olympio, 1951. 93 p.

FARIA, José Escobar. Elegia do exílio. São Paulo, João Bentivegna, 1952. 32 p., unnumbered.

———. Poemas de câmara. São Paulo, Martins, 1950. 69 p.
Poems of a neo-Parnassian tendency.

FERNANDES, João Baptista Ribeiro de Andrade, 1860-1934. Floresta de exemplos. Rio de Janeiro, J. R. de Oliveira e Cia., 1931.

————. Versos. Rio de Janeiro, Jacinto Ribeiro dos Santos, 1902.

CRITICAL REFERENCES: DEVENELLI, Carlos. Diretrizes de João Ribeiro. Rio de Janeiro, Z. Valverde, 1945. 122 p. LEÃO, Múcio. João Ribeiro. Rio de Janeiro, Alba, 1934. 322 p.

FERNANDES, Jorge. Livro de poemas; postf. de Luís da Câmara Cascudo. Natal, A Imprensa, 1927. 75 p.
Modernist poet of Rio Grande do Norte.

FERNANDES, Nísio. Miséria. Prefácio de Monteiro Lobato. São Paulo, Viver, 1949. 86 p.
Poems of social protest.

FERREIRA, Ascenso, 1895-   . Cana caiana. Recife, Diário de Manhã, 1939. 72 p. illus.
Modernist poet from the *Nordeste*.
Other work: Catimbó, 1927.

FERREIRA, Athos Damasceno, 1902-   . Poemas de minha cidade. 2nd ed. Pôrto Alegre, Globo, 1944. 130 p. (1st ed., 1936.)
D. F. is the poet and chronicler of Pôrto Alegre.

FERREIRA, Maria Isabel. Visão de paz. Rio de Janeiro, Agir, 1948. 117 p.

FONSECA, José Paulo Moreira da. Elegia diurna. Rio de Janeiro, J. Olympio, 1947. 104 p.

FONTES, Hermes Martins, 1888-1930. Apoteoses. 2nd ed. with a new poem. Rio de Janeiro, F. Alves, 1915. 260 p. (1st ed., 1908.)
Neo-Parnassian.

————. Ciclo de Perfeição. Rio de Janeiro, Imprensa Nacional, 1914.

————. Epopéia da vida e Miragem do deserto. Rio de Janeiro, Leite Ribeiro e Maurillo, 1914.

————. Fonte da mata. Rio de Janeiro, Papelaria Brasil, 1930.

————. Gênese. Rio de Janeiro, W. Martins e Cia., 1913.

————. A lâmpada velada. Rio de Janeiro, F. Alves, 1922.

————. Microcosmo. Rio de Janeiro, Leite Ribeiro e Maurillo, 1917.

————. Poesias escolhidas. Rio de Janeiro, Espasa, 1943.

CRITICAL REFERENCES: ATHAYDE, Tristão de. Estudos. 5a série. Rio de Janeiro, Civilízação Brasileira, 1935; p. 101-110. CAVALCANTI, Povina. Hermes Fontes. Rio de Janeiro, Civilização Brasileira, 1935. 48 p.

FONTES, José Martins, 1884-1937. Poesias; quinto volume das poesias completas de Martins Fontes. Santos, 1928.
Neo-Parnassian.
Contents: Vulcão, Volúpia, A fada bombom, Rosicler, Escarlate, O céu verde.
Other works: Arlequinada, 1922; As cidades eternas, 1923; and Boemia galante, s.d.

————. Verão. Santos, Instituto D. Rosa, 1917. Nova Ed. Santos, B. Barros, 1937.

CRITICAL REFERENCE: GRIECO, Agrippino. Evolução da poesia brasileira. Rio de Janeiro, Ariel, 1932; p. 106-109.

FRANCO, Francisco de Melo, 1757-1823. O reino da estupidez. Paris, A. Bobée, 1818. (5th ed. Rio de Janeiro, Garnier, 1910. 6th ed. Belo Horizonte, 1922.)
Satirical poem.

CRITICAL REFERENCE: PARANHOS, Haroldo. História do romantismo no Brasil. V. I. São Paulo, Cultura Brasileira, 1937; p. 252-259.

FREIRE, Luís José Junqueira, 1832-1855. Inspirações do Claustro. Bahia, Camillo Lellis Masson, 1855. (2nd ed. Coimbra, Imprensa da Universidade, 1867.)
Romantic poet.

————. Obras. Crit. ed. by Roberto Alvim Correia. Rio de Janeiro, Z. Valverde, 1944. 3 v.

————. Obras poéticas. 2nd ed. Garnier, s.d. (3rd ed. Garnier, s.d.; 4th ed. Garnier, s. d.)

──────. Obras poéticas. 4a ed. correta e aumentada com um juizo crítico de J. M. Pereira da Silva. Rio de Janeiro, Garnier, s.d. 2 v.
Contents: 1. Inspirações do claustro, 1855; 2. Contradições poéticas.

CRITICAL REFERENCES: ASSIS, Machado de. Crítica literária. Rio de Janeiro, Ed. Jackson, 1936. V. XXIX. (Inspirações do claustro; p. 87-97.) DÓRIA, Franklin. Estudo sôbre Luís Junqueira Freire. Rio de Janeiro, Garnier, 1868. 61 p. PEIXOTO, Afrânio. Ramo de louro. São Paulo, Monteiro Lobato, 1928. (Vocação e martírio de Junqueira Freire; p. 47-84.) PIRES, Homero. Junqueira Freire. Rio de Janeiro, Academia Brasileira de Letras, 1931. 91 p. ──────. Junqueira Freire. Rio de Janeiro, A Ordem, 1929. 343 p. Definitive biography and good bibliography.

GAMA, José Basílio da, 1741?-1795. Obras completas de José Basílio da Gama; com estudo crítico e bio-bibliográfico de José Veríssimo. Rio de Janeiro, Garnier, 1902. 238 p.
Includes all the work of Gama, including O Uruguai and Quitabia, plus collected poems.

──────. Obras poéticas. Precedidas de uma biografia crítica por José Veríssimo. Rio de Janeiro, Garnier, 1920. 238 p.

──────. O Uruguay. . . . Precedido de um estudo crítico por Francisco Pacheco. Rio de Janeiro, Tip. Confiança, 1895. xxiv, 78 p.

──────. ──────. Notes by F. A. de Varnhagen. Lisboa, Imp. Nacional, 1845. 449 p. (Ed., by Artus Montenegro. Pelotas, Echenique Irmãos, 1900.)

──────. ──────. Edit. por Afrânio Peixoto. Rio de Janeiro, Academia Brasileira de Letras, 1941.

CRITICAL REFERENCES: FERREIRA, Félix. Basílio da Gama. Rio de Janeiro, Tip. Jornal do Comércio, 1895. 28 p. LELLIS, Carlindo. Basílio da Gama e O

Uruguay. (*In* Revista das Academias de Letras, IX, 26, outubro de 1940; p. 129-147.) LIMA, Henrique de Campos Ferreira. José Basílio da Gama, alguns novos subsídios para a sua biografia. (*In* Brasília, II, 1943; p. 15-32.) See also introductions to cited editions.

GAMA, Luís Gonzaga Pinto da, 1930-1882. Primeiras trovas burlescas de Getulino (pseud.). 2a ed. correta e aumentada. Rio de Janeiro, Tip. Pinheiro e Cia., 1861. 252 p. (1st ed., 1859. 3rd ed., São Paulo, Rosa e Santos Oliveira, 1904.)
Abolitionist poet.

CRITICAL REFERENCES: FARIA, Alberto. Luís Gama. (*In* Revista Brasileira de Letras, no. 67, julho de 1927; p. 337-355.) SANTOS, Arlindo Veiga dos. A lírica de Luís Gama. São Paulo, Atlântico, 1944. 64 p.

GONZAGA, Tomaz Antônio, 1744-1810. Marilia de Dircéo, Parte I. Lisboa, Tip. Numesiana, Anno M,DCC.XCII. 118 p. 1st ed.

──────. Marilia de Dirceu (Parte I e II). Lisboa, Oficina de Bulhões, s.d.

──────. Marilia de Dirceo. Nova (33a.) ed., rev. e prefaciada por José Veríssimo. Rio de Janeiro, Paris, H. Garnier, 1910. 340 p. (35th ed. by Alberto Faria. Rio de Janeiro, Anuário do Brasil, 1922.)
For editions of Marilia de Dirceu see: Oswaldo Melo Braga: As edições de Marília de Dirceu. Rio de Janeiro, Benedito de Sousa, 1930. 58 p. Also: Gaudie Ley: Gonzaguiana da Biblioteca Nacional. Rio de Janeiro, Biblioteca Nacional, 1936. 76 p.

──────. Obras completas de Tomás Antônio Gonzaga. Ed. crítica de Rodrigues Lapa. São Paulo, Nacional, 1942. 556 p. (1st ed., Lisboa, 1937.)
Contents: Poesias, Liras, Cartas chilenas, and Tratado de direito natural.
Note: Following the studies of Afonso Arinos de Melo Franco, Luís Camilo de Oliveira Neto, and Manuel Bandeira, the Cartas chilenas have been attributed to Gonzaga.

──────. Cartas chilenas, precedidas de uma epístola atribuída a Claudio Manuel da Costa; introdução e notas por Afonso Arinos de Melo Franco. Rio de Janeiro, Nacional, 1940. 294 p.

―――. Cartas chilenas. São Paulo, Livr. Martins, 1945. 178 p. Only text of the poem is given, without preface, notes, or other matter.

CRITICAL REFERENCES: ARARIPE, Tristão de Alencar (júnior). Dirceu. Rio de Janeiro, Laemmert, 1890. 32 p. Best monographic study. BANDEIRA, Manuel. A autoria das Cartas chilenas. (*In* Revista do Brasil, 3a fase, III, 22, abril de 1940; p. 1-25.) BRAGA, Teófilo. Recapitulação da história da literatura portuguêsa. IV. Os Arcades. Pôrto, Chardron, 1918; p. 397-428. BRANDÃO, Tomás. Marília de Dirceu. Belo Horizonte, Tip. Guimarães, Simões, d'Almeida e Filho, 1932. 477 p. A defense of Marília vs. biographers. FRANCO, Afonso Arinos de Melo. O problema da autoria das Cartas chilenas. (*In* Revista do Brasil, 3a fase, III, 28, outubro de 1940; p. 7-17.) FRIEIRO, Eduardo. Como era Gonzaga? Belo Horizonte, Publicações da Secretaria de Minas Gerais, 1950. 73 p. GUERRA, Álvaro. Tomás Gonzaga. São Paulo, Melhoramentos, 1923. 56 p.

GRIZ, Jayme. Rio Una. Recife, Diário da Manhã, 1951. 211 p.
Poetry after the fashion of the 1920's.

GUERRA, Gregório de Matos, 1623-1696. Introdução, seleção e notas por Segismundo Spina. São Paulo, Ed. Assunção, 1946. 224 p.
A good sampling of the 17th-century poet who has been termed "the Brazilian Villon."

―――. Obras de Gregório de Matos. Ed. by Afrânio Peixoto. Rio de Janeiro, Academia Brasileira de Letras, 1923, 1929-1930, 1933. 6 v.
Contents: 1. Sacra; 2. Lírica; 3. Graciosa; 4-5. Satírica; 6. Última.

―――. Obras completas. Sacra. Lírica. Graciosa. Tomo 1. São Paulo, Ed. Cultura, 1943. 389 p.

―――. Obras poéticas, precedidas da vida do poeta pelo licenciado Manoel Pereira Rebello. Tomo I. Rio de Janeiro, 1882. 419 p.

―――. Obras poéticas. Editadas por Alfredo do Vale Cabral. V. I: Sátiras. Rio de Janeiro, Tip. Nacional, 1882. 1st ed.

―――. Poesias satíricas. Prefácio e seleção de Fernando Góes. São Paulo, Ed. Universitaria, 1945. 306 p.

CRITICAL REFERENCES: ALVES, Constâncio. Gregório de Matos. Prefácio de Satírica. V. IV da edição da Academia. 1930; p. 9-40. ARARIPE, Tristão de Alencar (júnior). Gregório de Matos. Rio de Janeiro, Fauchon e Cia., 1934. Highly recommended. BARQUIN, María del Carmen. Gregório de Matos. La época, el hombre, la obra. México, Ed. Antigua Libr. Robredo, 1946. 232 p. CALMON, Pedro. A vida espantosa de Gregório de Matos. Prefácio de Última. V. VI. da edição da Academia. 1933; p. 23 - 58. COSTA, Afonso. Gregório de Matos no ambiente de terra natal. (In Boletim Bibliográfico [São Paulo], no. 16, 1950; p. 95-103.) GUERRA, Álvaro. Gregório de Matos, sua vida e suas obras. São Paulo, Melhoramentos, 1922. 56 p.

GUIMARAENS, Afonso Henrique da Costa, 1870-1921. Dona Mística. Rio de Janeiro, Leuzinger, 1899. Written between 1891 and 1892.
Symbolist poet.

―――. Kyriale. Pôrto, Universal, 1902. Written between 1891 and 1895.

―――. Pastoral aos crentes do amor e da morte. São Paulo, Monteiro Lobato, 1923.

―――. Setenário das Dôres de Nossa Senhora and Câmara ardente. Rio de Janeiro, Leuzinger, 1899.

―――. Poesias (de) Alphonsus de Guimaraens (pseud.). Ed. dir. e rev. por Manuel Bandeira, com uma notícia biográfica por João Alphonsus.

Rio de Janeiro, Ministério da Educação e Saúde, 1938. 460 p.
Contents: Kiriale, Dona Mística, Câmara ardente, Setenário das Dôres de Nossa Senhora, Nova primavera, Pastoral, Escada de Jacó and Pulvis.

CRITICAL REFERENCES: ATHAYDE, Tristão. Poesia brasileira contemporânea. Belo Horizonte, Paulo Bluhm, 1941. (Alphonsus and the critics; p. 49-78.) FIGUEIREDO, Jackson de. Durval de Morais e os poetas de Nossa Senhora. Rio de Janeiro, Centro D. Vital, 1925; p. 73-159. LISBOA, Henriqueta. Alphonsus de Guimaraens. Rio de Janeiro, Agir, 1945. 74 p. RESENDE, Henrique de. Retrato de Alphonsus de Guimaraens. Rio de Janeiro, J. Olympio, 1938. 133 p.

GUIMARAENS, Bernardo José da Silva, 1825-1884. Cantos da solidão. São Paulo, Tip. Liberal, 1852. (2nd ed,, Rio de Janeiro, Garnier, 1858.)

------. Novas poesias. Rio de Janeiro, H. Garnier, 1876. 202 p. (Ed., 1900.)

------. Poesias. 3rd ed. Rio de Janeiro, Garnier, s.d. 328 p. (1st ed., 1865.)
Contents: Cantos da solidão, 1852; Inspirações da tarde, Poesias diversas, Evocações and A baía da Botafogo.
Other poetic works: Novas poesias, 1876; and Fôlhas de outono, 1883.

CRITICAL REFERENCES: BANDEIRA, Manuel. Apresentação da poesia brasileira. Rio de Janeiro, Casa do Estudante do Brasil, 1946; p. 74-75. GRIECO, Agrippino. Evolução da poesia brasileira. 1932. (3rd ed. Rio de Janeiro, J. Olympio, 1947; p. 32-33.)

GUIMARAENS, Luís Caetano Pereira (júnior), 1845-1898. Corimbos; poesias. Rio de Janeiro, 1870. (1st ed., 1866.)

------. Lírica; sonetos e rimas. Roma, Tip. Elzeviriana, 1880. 256 p. 1st ed.

------. Lírica; sonetos e rimas. 2nd ed. Rev. e augm. Prefácio de Fialho d'Almcida. Lisboa, Tavares Cardoso e Irmão, 1886. xx, 222 p.

------. Monte Alverne; poesia. Rio de Janeiro, 18—? 80 p.

------. Nocturnos; poesias. Com uma introducção do conselheiro José de Alencar. Rio de Janeiro, 1872. 23, 224 p. 1st ed.

------. Sonetos e rimas, por Luís Guimarães, pref. de Fialho d'Almeida, 2a ed. rev. e aumentada. Lisboa, Tavares Cardoso e Irmãos, 1896. 230 p.

CRITICAL REFERENCES: VERÍSSIMO, José. Estudos de literatura brasileira. 1a série. Rio de Janeiro, Garnier, 1901; p. 191-206. VILELA, Iracema Guimarães. Luís Guimarães Júnior. Rio de Janeiro, Academia Brasileira de Letras, 1934. 119 p. Complete biography with bibliography.

GUIMARAENS FILHO, Alphonsus de, 1918- . A cidade do sul. Poesia. Belo Horizonte, Panorama, 1948. 109 p.

------. O irmão. Rio de Janeiro, Agir, 1950. 109 p.
Verse of religious inspiration.

------. Poesias. Sonetos de ausência. Nostalgia dos anjos. Pôrto Alegre, Globo, 1946. 171 p.

GUIMARÃES, Eduardo, 1892-1928. A divina quimera. Pôrto Alegre, Globo, 1944. (1st ed., 1916. See pref. to 2nd edition.)
Symbolist.

HADDAD, Jamil Almansur. Cântico dos cânticos. Atribuído a Salomão. São Paulo, 1950. 101 p.
Version of the Song of Songs as a drama.

------. A lua do remorso. São Paulo, Martins, 1951. 133 p.
Erotic verse.

ITAPARICA, Frei Manuel de Santa Maria, 1704-1769. Eustachidos; poema sacrocomico, em que se contem a vida de Santo Eustachio, martyr chamado antes Placido, e de sus mulher e filhos, por um anonymo, etc. Lisboa, 1769. 132 p.
Best example of Gongorism in poetry.

------. Descrição da Ilha de Itaparica. Ed. por Inácio Accioli de Cerqueira e Silva. Bahia, 1841.

Ivo, Lêdo. Acontecimento do soneto. Barcelona, Livro Inconsútil, 1948. 30 p.

————. Cântico. Rio de Janeiro, Olympio, 1949. 107 p., illus.

————. Linguagem (1949-1951). Rio de Janeiro, J. Olympio, 1951. 111 p.

JORGE, José Guilherme de Araújo, 1915-. Amo! Segunda ed. Rio de Janeiro, Vecchi, 1944. 234 p. (1st ed., 1941. 3rd ed., 1945.)

————. Eterno motivo. Rio de Janeiro, Vecchi, 1943. 128 p.

————. O canto da terra. Poemas. Rio de Janeiro, Vecchi, 1945. 298 p.

————. Estrêla da terra. Rio de Janeiro, 1947. 251 p.
The first part of the book is a prose essay in which the poet considers his art.

————. A outra face. Rio de Janeiro, Vecchi, 1949. 204 p.
One of Brazil's best-selling poets.
Other works: Me céu interior, 1934; Bazar de ritmos, 1935; and Cântico do homem prisioneiro, 1941.

JORGE, Salomão. Tendas do meu deserto. Poesias. São Paulo, Ed. Assunção, 1946. 151 p.
Poems of spiritual quality with an Oriental flavor.

LEITE, Cassiano Ricardo, 1895-   . Borrões de verde e amarelo. São Paulo, Hélios, 1927.

————. Um dia depois do outro. São Paulo, Editôra Nacional, 1947. 306 p.

————. A face perdida. Rio de Janeiro, J. Olympio, 1950. 177 p.

————. A Frauta de Pan. 1917.

————. Martim Cererê. São Paulo, Revista dos Tribunais, 1928.
This work has been compared to the Martín Fierro of Argentina.

————. Martim Cererê: O Brasil dos meninos, dos poetas e dos heróis. 6th ed. São Paulo, Nacional, 1938. 240 p. (8th ed., 1943.)

————. O sangue das horas. São Paulo, Editôra Nacional, 1943.

————. Vamos caçar papagaios. São Paulo, Hélios, 1927.
Other works of Leite. Dentro da noite, 1915; Evangelho de Pan, 1917; Jardim das hespérides, 1940; A mentirosa de olhos verdes, 1924; and Canções de minha ternura, 1933.

CRITICAL REFERENCES: ATHAYDE, Tristão de. Estudos. 1a série. Rio de Janeiro, Terra do sol, 1927. (Versos de hoje e ontem; p. 86-93.) MIRANDA, Veiga. Os faiscadores. São Paulo, Monteiro Lobato, 1925. (O Evanhelho de Pan; p. 95-103.)

LEITE, Manuel Cerqueira. Água na cuia. Prefácio de Antônio Soares Amora. São Paulo, Brasiliense, 1948. 89 p.
Bucolic verse in the caipira manner.

LEITE, Maria das Graças Santos. Alma em vigília. Recife, Nordeste, 1951. 103 p.
Conventional verse.

LESSA, Aureliano José, 1828-1861. Poesias póstumas. Ed. by his brother, Francisco José Pedra Lessa. Pref. by Bernardo Guimarães. Rio de Janeiro, Belo Horizonte, Beltrão e Cia., 1909.

CRITICAL REFERENCE: ROMERO, Sílvio. História da literatura brasileira. 1888. (3rd ed. Rio de Janeiro, Olympio, 1943. V. III; p. 285-297.)

LEVY, Santos. Sentimentos. Rio de Janeiro, Pongetti, 1947. 96 p.
Love poems.

LIMA, Adroaldo Barbosa. Angústia dos séculos. São Paulo, Saraiva, 1946. 301 p.
A poet who has what Unamuno calls the "Tragic sense of life."

————. Cânticos das horas mortas. São Paulo, Saraiva, 1946. 275 p.

LIMA, Antônio Augusto de, 1860-1934. Contemporâneas. Rio de Janeiro, Leuzinger, 1887. ix, 3, 172, 22 p. Pref. by Teófilo Dias.

————. Poesias, com juizos críticos de Teófilo Dias, Raimundo Correia, Tito

Livio de Castro e Araripe Júnior. Rio de Janeiro, Garnier, 1909. 299 p. illus. (Ed., Belo Horizonte, Imprensa Oficial, 1930.)

――――. Símbolos. Rio de Janeiro, Leuzinger, 1892.

Other works: Contemporâneas, 1887; Val de lyrios, 1900; Poesias completas, 1909.

CRITICAL REFERENCES: FRIEIRO, Eduardo. Letras mineiras. Belo Horizonte, Os Amigos do Livro, 1937. (Augusto de Lima, poeta franciscano; p. 23-35.) VIANA, Vitor. Discurso de posse. (*In* Revista da Academia Brasileira de Letras, no. 157, setembro de 1935; p. 5-28.)

LIMA, Jorge de, 1895-   . Banguê e essa negra Fulô; Poemas escolhidos. 1933.

Modernista.

――――, Invenção de Orfeu. Rio de Janeiro, Livros de Portugal, 1952. 431 p.

Sérgio Milliet described this work as "uma das obras poéticas mais transcendentes de nosso tempo. . . ."

――――. Livro de sonetos. Rio de Janeiro, Livros de Portugal, 1949. 169 p.

――――. Mira-Coeli. Buenos Aires, Sociedad Editora Latino - Americana, 1950. 150 p.

Spanish translation (by Florindo Villa Alvarez?) of Lima's latest collection of mystical verse.

――――. Obra poética. Edição completa, em um volume, organizada por Otto Maria Carpeaux. Rio de Janeiro, Getúlio Costa, 1950. xvi, 659 p.

Complete works of Lima to 1950.

――――. Poemas. Rio de Janeiro, Konfino, 1952. 176 p.

Translations into Spanish. Second enlarged edition of a collection first published in 1939.

――――. Poemas; prefácio de Georges Bernanos. Rio de Janeiro, Gráficas de A Noite, 1939. 132 p.

――――. Poemas negros. Ilustrações de Lasar Segall. Prefácio por Gilberto Freyre. Rio de Janeiro, Revista Acadêmica, 1947. 86 p.

――――. Poemas escolhidos: 1925-1930; postfácio de José Lins do Rêgo. Rio de Janeiro, Andersen, 1932. 186 p.

――――. XIV Alexandrinos. 1914.

――――. Salomão e as mulheres. 1923.

――――. Tempo e eternidade, poemas. Pôrto Alegre, Globo, Barcellos, Bertaso e Cia., 1935. 125 p. 12th ed. In collaboration with Murillo Mendes.

――――. A Túnica inconsútil, poesia. Rio de Janeiro, Cooperativa Cultural Guanabara, 1938. 321 p.

CRITICAL REFERENCES. ANSELMO, Manuel. A poesia de Jorge de Lima. São Paulo, Revista dos Tribunais, 1938. 158 p. ATHAYDE, Tristão de. Poesia brasileira contemporânea. Belo Horizonte, Paulo Bluhm, 1941; p. 107-110, 119-121. BANDEIRA, Manuel. Apresentação da poesia brasileira. Rio, Casa do Estudante do Brasil, 1946; p. 173-175. ENTRAMBASAGUAS, Joaquín de. La poesía de Lima. (*In* Revista de Literatura, Madrid, I, 2, abril-junio, 1952; p. 469-473.) GRIECO, Agrippino. Gente nova do Brasil. Rio de Janeiro, Olympio, 1935; p. 27-41.) On prose work. HOMENAGEM A JORGE DE LIMA. (*In* Revista Acadêmica, ano 13, no. 70, p. 1-52.) Essays by leading critics and poets. LIMA, Benjamin. Êsse Jorge de Lima! Ensaio breve sôbre o conjunto da sua personalidade e da sua obra. Rio de Janeiro, Andersen, 1933. 183 p. LIMA, Jorge de. Minhas memórias. (*In* Jornal de letras, IV, 40, out., 1952; p. 9-10, and following numbers.) "minhas memórias literárias. . . ." PUTNAM, Samuel. Brazilian Surrealist. (*In* Books Abroad, Norman, Okla., IX, 1935; p. 156.) RÊGO, José Lins do. Gordos e magros. Rio de Janeiro, Casa do Estudante do Brasil, 1942. (Jorge de Lima e o modernismo; p. 6-32.) One of the best studies on Lima's poetry.

LISBOA, Henriqueta. A face lívida. Belo Horizonte, 1945. 147 p. Poems written between 1941 and 1945.

————. Prisoneira da noite. Rio de Janeiro, Civilização Brasileira, 1941. 138 p.
Other works: Fogo-fátuo, 1926; Enternecimento, 1929; Velário, 1935.

LOPES, Bernardino da Costa, 1859-1916. Brasões. Rio de Janeiro, Fauchon, 1895.
Symbolist.

————. Cromos. 2a ed. aumentada. Rio de Janeiro, 1896. 124 p.
Poetic works: Cromos, 1881; Pizzicatos, 1886; D. Carmen, 1890; Brasões, 1895; Sinhá flor, 1899; Val de lírios, 1900; Helenos, 1901; and Plumário, 1905.

————. Helenos. Rio de Janeiro, Aldina, 1901.

————. Plumário. Rio de Janeiro, Leuzinger, 1905.

————. Sinhá Flor pela época dos Crisântimos. Rio de Janeiro, Luís Malafaia Júnior, 1899.

————. Val de lírios. Rio de Janeiro, Laemmert, 1900.

————. Poesias completas de B. Lopes. Com um estudo de Andrade Muricy. Rio de Janeiro, Z. Valverde, 1945. 2 v.

CRITICAL REFERENCES: LACERDA, Renato de. Um poeta singular, B. Lopes. Rio de Janeiro, s.ed., 1949. 159 p. Biography. MURICY, Andrade. Introdução da edição das Obras. Rio de Janeiro, Z. Valverde, 1945. V. I, p. 7-28.

LUZ, Zé da. Brasil caboclo. Segunda edição, aumentada e melhorada. Prefácio de José Lins do Rêgo. Rio de Janeiro, O Cruzeiro, 1949. 164 p.
Hillbilly verse.

MACEDO, Joaquim Manoel de, 1820-1882. A nebulosa. Rio de Janeiro, J. Villeneuve e Cia., 1857.

————. A nebulosa; poema. Nova ed. Rio de Janeiro, H. Garnier, 1900? 280 p.

MACHADO, Gilka da Costa Mello, 1893-. Mulher nua, poesias. 3rd ed.

Rio de Janeiro, J. Ribeiro dos Santos, 1929. 175 p. (1st ed., 1922.)

————. Poemas, 1928.

————. Poesias. Rio de Janeiro, Jacinto, 1918. 237 p.
Contents: Cristais partidos, 1915; and Estados d'Alma, 1917.

————. Poesias (1915-1917). 3rd ed. Rio de Janeiro, J. Ribeiro dos Santos, 1929. 237 p.

————. Sublimação; poesia de Gilka Machado. Rio de Janeiro, Baptista de Souza, 1938. 140 p.
Other works: Meu glorioso pecado, 1928; and Carne e alma, s.d.

MACHADO, Ruy Affonso. Rumo enxuto. São Paulo, Martins, 1950. 121 p.

MAGALHÃES, Antônio Valentim da Costa, 1859-1903. Cantos e luctas (poesias). São Paulo, Tip. da Tribuna Liberal, 1879. 86 p.

————. Colombo e Nênê; poemeto. Rio de Janeiro, Tip. da Gazeta de Notícias, 1880? 43 p.

————. Rimario, poesias. Paris, Aillaud e Cie., 1900. 243 p.

MAGALHÃES, Domingos José Gonçalves de, Visconde de Araguaya, 1811-1882. A Confederação dos Tamoyos, poema. Rio de Janeiro, Empreza Tip. de P. Brito, 1856. 340, 19 p. 1st ed.
Epic poem in 10 cantos.

————. ————. 2nd ed. Coimbra, Imp. Litterária, 1864. 264 p.
Magalhães was the founder of the Romantic movement in Brazil—1836.

————. Os misterios; cantico funebre à memoria de meus filhos. Paris, Imp. de Rignous, 1857. 104 p.

————. Obras completas. Rio de Janeiro, B. L. Garnier, 1864-1865. 3 v.
Contents: Poesias avulsas. Suspiros poéticos e saudades; 3rd ed. Tragedias: Antônio José, Olgiato, and Othello. Urania. Confederação dos Tamoyos, 2nd ed. rev., corr. e acresc. Canticos funebres. Factos do espiritu humano; philosophia, 2nd ed. Opusculos históricos e literários, 2nd ed.

————. Poesias. Rio de Janeiro, R. Ogier, 1832. iv. 264 p.
Collection of first poems, written in his student days.

————. Suspiros poéticos e saudades. Rio de Janeiro, J. P. da Veiga; Paris, Dauvin ct Fonatines, 1836. 375 p.

————. Suspiros poéticos e saudades. Prefácio de Sérgio Buarque de Hollanda. Ed. anotada por Sousa da Silveira. Rio de Janeiro, Ministério da Educação e Saúde, 1939.

————. ————. Segunda edição correcta e augmentada. Paris, Na Imp. de Henrique Plon, 1859. 359 p.
With four additional cantos.

————. Urania (pocsias). Rio de Janeiro, B. L. Garnier, 1862. 344 p. 1st ed.

CRITICAL REFERENCES: ALENCAR, José do. Cartas sôbre a Confederação dos Tamoyos. Rio de Janeiro, Tip. do Diário do Rio de Janeiro, 1856. 112 p. CASTELLO, José Aderaldo. Gonçalves de Magalhães. São Paulo, Assunção, 1946. 146 p. With anthology. MOTTA, Artur. Gonçalves de Magalhães. (In Revista da Academia Brasileira de Letras, no. 77, maio de 1928; p. 47-70.) OLIVEIRA, José de Alcântara Machado de. Gonçalves Magalhães, ou o romântico arrependido, 1936. A POLÊMICA SÔBRE "A CONFEDERAÇÃO DOS TAMOIOS." Críticas de José de Alencar, Manuel de Araújo Pôrto-Alegre, D. Pedro II e outros, coligidas e precedidas de uma introdução por José Aderaldo Castello. São Paulo, Facultade de Filosofia, Ciências e Letras da Universidade de São Paulo, 1953. xlvii, 139 p.

MALTA, Tostes. Luz distante. Rio de Janeiro, 1950. 94 p.

MARQUES, Oswaldino. Poemas quase dissolutos. Rio de Janeiro, J. Olympio, 1946. 99 p.
The best contribution of the year.

MARTINS, Luís. Cantigas da rua escura. São Paulo, Martins, 1950. 74 p.

MEIRELES, Cecília, 1901- . Mar absoluto. Pôrto Alegre, Globo, 1945. 248 p.

————. Nunca mais. . . . e Poema dos poemas. Rio de Janeiro, Leite Ribeiro, 1923. 152 p.

————. Retrato natural. Rio de Janeiro, Livros de Portugal, 1949. 184 p.

————. Viajem; poesia, 1929-1937. Lisboa, Ed. Imperio, 1939. 199 p.

————. Vaga música. Rio de Janeiro, Pongetti, 1942. 199 p. illus.
Other works: Enpoctros, 1919; and Baladas para el rei, 1925.

CRITICAL REFERENCES: BANDEIRA, Manuel. Apresentação da poesia brasileira. Rio, Casa do Estudante do Brasil, 1946; p. 166-168. CORREIA, Roberto Alvim. Anteu e a crítica. Rio de Janeiro, J. Olympio, 1948. (Cecília Meireles; p. 38-44.) RODRÍGUEZ ALEMÁN, Mário A. Cecília Meireles. (In Revista Cubana, Habana, XXIII, 1948; p. 243-248.)

MELLO, Cezario de. Cantos de hora undécima. Recife, Editôra Nordeste, 1950. 116 p.
Poems of saudade for his childhood.

MELLO, Thiago de. Narciso cego. Rio de Janeiro, J. Olympio, 1952. 55 p.

MENDES, Manuel Odorico, 1799-1864. Eneida brasileira. Paris, Regnaux, Tipogr., Guttenberg, 1874.

————. Virgílio brasileiro. Paris, Renquet et Cie., 1848.

CRITICAL REFERENCE: LISBOA, João Francisco. Biografia de Odorico Mendes. (In Revista do Instituto Histórico e Geográfico Brasileiro, XXXVIII, 2, 1875; p. 303-337.)

MENDES, Murilo Monteiro, 1901- . História do Brasil. Rio de Janeiro, Ariel, 1932. 157 p.
Told in satirical verse from the letter of Pero Vaz Caminha to the Revolution of 1930.

——. As metamorfoses, poemas. Ilus. de Portinari. Rio de Janeiro, Editôra Ocidente, 1944. 151 p.

——. Mundo enigma (1942). Os quatro elementos (1935). Rio de Janeiro, Pôrto Alegre, Livr. do Globo, 1945. 142 p.
Reprints.

——. Poemas. Juiz de Fora, Dias Cardoso, 1930.

——. A poesia em pânico. Rio de Janeiro, Cooperativa Cultural Guanabara, 1938. 103 p.

——. Poesia liberdade. Rio de Janeiro, Agir, 1947.

——. Tempo e eternidade (em colaboração com Jorge de Lima). Pôrto Alegre, Globo, 1935.

——. O visionário. Rio de Janeiro, J. Olympio, 1941. 140 p.

CRITICAL REFERENCES: ATHAYDE, Tristão de. Poesia brasileira contemporânea. Belo Horizonte, Paulo Bluhm, 1941; p. 121-123. FREITAS JÚNIOR, Otávio de. Ensaios de crítica de poesia. Recife, Publicações Norte, 1941. (Murilo Mendes; p. 115-135.)

MENDONÇA, Anna Amelia de Queiroz Carneiro de. Poemas. Rio de Janeiro, Casa do Estudante do Brasil, 1951. 147 p. illus. *Nomme de plume*, Anna Amelia.

MENEZES, Emílio de, 1867-1918. Mortalha. Ed. por Mendes Fradique. Rio de Janeiro, Livraria Editôra, 1924.
Parnassian.

——. Poemas da morte. Rio de Janeiro, Laemmert, 1901.

——. Poesias. Rio de Janeiro, F. Alves, 1909. 104 p.
Contents: Símbolos e Poemas da morte.

CRITICAL REFERENCE: MENEZES, Raimundo de. Emílio de Menezes. O último boémio. Prefácio de David Carneiro. São Paulo, Martins, 1946. 386 p.

MENEZES, Tobias Barreto de, 1839-1889. Dias e noites, por Tobias Barreto; prefácio de Sílvio Romero. Ed. do Estado de Sergipe, 1925. 312 p. illus. First vol. of Obras completas, 10 vols. Other eds. of Dias e noites: 1881, 1893, and 1903.

CRITICAL REFERENCE: BITTENCOURT, Dario de. Tobias Barreto, poeta. (*In* Revista das Academias de Letra, V, 13, agôsto de 1939; p. 45-55.)

MESQUITA, Teófilo Odorico Dias de, 1857-1889. Cantos tropicais. Rio de Janeiro, Gonçalves Guimarães, 1878.
Parnassian.

——. Fanfarras. São Paulo, Dolivaes Nunes, 1882.

——. Lira dos verdes anos. Rio de Janeiro, Tip. Central, 1876.

CRITICAL REFERENCE: MONTALEGRE, Duarte de. Ensaio sôbre o parnasianismo brasileiro. Coimbra, Coimbra Editôra, 1945; p. 42-43, 69-70.

MEYER, Augusto, 1902- . Coração verde. Pôrto Alegre, Globo, 1926.

——. Duas orações, 1928.

——. Giraluz. Pôrto Alegre, Globo, 1928. 47 p.

——. Poemas de Bilú. Pôrto Alegre, Globo, 1929.

——. Sorriso interior. Pôrto Alegre, Globo, 1930.

CRITICAL REFERENCES: ATHAYDE, Tristão de. Estudos. 3a série. 1a parte. Rio de Janeiro, A Ordem, 1930; p. 56-71. MORAES, Carlos Dante de. Viagens interiores. Rio de Janeiro, Schmidt, 1931. (Augusto Meyer; p. 103-130.)

MILANO, Dante. Poesias. Rio de Janeiro, J. Olympio, 1948. 114 p.
Was considered the best poetic debut of 1948.

MIRANDA, José Tavares de. Poemas. Rio de Janeiro, J. Olympio, 1944. 94 p.
Poems about the Northeast.

MONTEIRO, Antônio Peregrino Maciel, Barão de Itamaracá, 1804-1868. Poesias. Ed. by João Batista Regueira da Costa e Alfredo de Carvalho. Recife, Imprensa Industrial, 1905.
Romantic poet.

CRITICAL REFERENCES: CÂMARA, Phaelante da. Maciel Monteiro. Recife, Cultura Acadêmica, 1905. 67 p. ROMERO, Sílvio. História da literatura brasileira. 1888. (3rd ed. Rio de Janeiro, Olympio, 1943. V. III, p. 13-27.)

MORAIS, Vinicius de Melo, 1913-   . Ariadna e a mulher, 1936.

————. Cinco elegias. Rio de Janeiro, Ed. Irmãos Pongetti, 1943. 43 p.
Winner of Felippe d'Oliveira Prize for 1935.

————. O caminho para a distância. Rio de Janeiro, Schmidt, 1933. 152 p.

————. Forga e exegese. Rio de Janeiro, Pongetti, 1935. 169 p.

————. Novos poemas. Rio de Janeiro, J. Olympio, 1938. 102 p.

————. Poemas, sonetos e baladas. São Paulo, Edições Gaveta, 1946. 142 p. illus.

CRITICAL REFERENCES: ANDRADE, Mário de. O empalhador de passarinho. São Paulo, Martins, 1946. (Belo, forte, jovem; p. 15-21.) BANDEIRA, Manuel. Apresentação da poesia brasileira. Rio, Casa do Estudante do Brasil, 1946; p. 184-185. FARIA, Otávio de. Dois poetas. Rio de Janeiro, Ariel, 1935; p. 235-331. MILLIET, Sérgio. Diário crítico. V. V. São Paulo, Martins, 1948; p. 219-223.

MOTA, Mauro. Elegias. Prefácio de Álvaro Lins. Rio de Janeiro, Edições Jornal de Letras, 1952. 88 p.
". . . a volume of great distinction. . . ."—Dimmick.

MOURA, Emílio Guimarães, 1901-   . Cancioneiro. Belo Horizonte, Treva, 1943.

————. Canto da hora amarga. Belo Horizonte, Os Amigos do Livro, 1936. 222 p.

————. O espelho e a musa. Belo Horizonte, Panorama, 1949.

CRITICAL REFERENCES: FRIEIRO, Eduardo. Letras mineiras. Belo Horizonte, Os Amigos do Livro, 1937. (Canto da hora amarga; p. 268-274.) FUSCO, Rosário. Vida Literária. São Paulo, Panorama, 1940. (Um aspecto da poesia; p. 65-71.)

MOURA, Reinaldo, 1901-   . L'aprèsmidi d'un faune, 1940.

————. Mar do tempo. Pôrto Alegre, Globo, 1944. 108 p.
Also: Outono, 1936.

MURAT, Luís Barreto, 1861-1929. Ondas. Rio de Janeiro, Jerônimo Silva, 1890. vii, 285 p. (Ed., Pôrto, Lello, 1910.)
One of the last Romantic poets.

————. Poesias escolhidas. Rio de Janeiro, J. Ribeiro dos Santos, 1917. xvii, 351 p.

————. Quatro poemas. Rio de Janeiro, Tip. Hamburgueza do Lobão, 1885. 34 p.

————. Rhythmos e idéias; poesias. Rio de Janeiro, F. Alves, 1920. 89 p.

————. Sarah poema. Rio de Janeiro, Imprensa Nacional, 1902. xx, 198 p. (Ed., Rio de Janeiro, Castilho, 1921. xxxi, 213 p.)

CRITICAL REFERENCE: TAUNAY, Afonso de. Discurso de posse. (*In* Revista da Academia Brasileira de Letras, no. 103, julho de 1930; p. 248-272.)

NARCISA AMÁLIA. Reis, Antônio Simões dos (ed.). Narcisa Amália. Rio de Janeiro, Organização Simões (Bibliografia Brasileira, 2), 1949. 192 p. Bibliography included.
Rehabilitation of a poetess of the 1870's.

NERI, Adalgisa, 1905-   . Cantos da angústia. Rio de Janeiro, J. Olympio, 1948. 143 p.

————. A mulher ausente. Rio de Janeiro, J. Olympio, 1940. 151 p. illus.
Other works: Poemas, 1937; and Ar do deserto, 1943.

NEVES SOBRINHO, Faria Joaquim José, 1872-1927. Poesias. Prefácio de Múcio Leão. Rio de Janeiro, Pongetti, 1949. 321 p.
Parnassian.
Other published works: Esmaltes, 1890; Quimeras, 1903; and Sol posto, 1923.

NICOLUSSI, Haydée. Festa na sombra. Rio de Janeiro, Pongetti, 1945. 112 p.

NUNES, Arnaldo. América, poemas. Refundido e com um estudo sôbre o nome América. Rio de Janeiro, Ed. Niterói, 1945. 128 p.
Poems of hemispheric patriotism.

OCTAVIO, Pedro. O muro de céu. Rio de Janeiro, Pongetti, 1951. 256 p.

OLINTO, Antônio. Presença. Rio de Janeiro, Pongetti, 1949. 124 p.

OLIVEIRA, Antônio Mariano Alberto de, 1859-1937. Canções românticas. 1877-1878. Rio de Janeiro, Tip. da Gazeta de Notícias, 1878. ii, 121 p.
Parnassian.

————. Céo, terra e mar. Rio de Janeiro, F. Alves, 1914. 340 p.
Prose and verse.

————. Meridionaes. Com uma introducção de Machado de Assis. Rio de Janeiro, Tip. da Gazeta de Notícias, 1884. 168 p.

————. Poesias. Edição melhorada. (1877-1895.) Primeira série. Rio de Janeiro, Garnier, 1912. vi, 372 p.
Contents: Canções românticas. Meridionaes. Sonetos e poemas. Versos e rimas. Por amor de uma lágrima.

————. ————. Edição melhorada. (1892-1903.) Segunda série. Rio de Janeiro, Livr. Garnier, 1912. 396 p.
Contents: Livro de Emma. Alma livre. Terra natal. Alma em flor. Flores da serra. Versos de saudade.

————. ————. 3a série. (1904-1911.) Rio de Janeiro, F. Alves, 1913. 199 p.

Ed., Nova ed. Rio de Janeiro, F. Alves, 1928. 297 p.
Contents: Sol de verão. Céo nocturno. Alma de cousas. Sala de baile. Rimas várias. No seio do cosmos. Natalia.

————. ————. 4a série. (1912-1925.) 2nd ed. Rio de Janeiro, F. Alves, 1928. 254 p.
Contents: Ode cívica. Alma e céo. Cheiro de flor. Ruínas que falam. Câmara ardente. Ramo de árvore. . . .

————. Poesias completas. Ed. definitiva. Rio de Janeiro, Garnier, 1900. 398 p.

————. Poesias escolhidas. Edit. por Jorge Jobim. Rio de Janeiro, Civilização Brasileira, 1933.

————. Sonetos e poemas. Rio de Janeiro, Moreira Maximino e Cia., 1885. 269 p.

CRITICAL REFERENCES: ARRUDA, Breno. Ramo de Flor, ensaio sôbre a poesia de Alberto de Oliveira. Rio de Janeiro, Jornal do Comércio, 1928. 78 p. FREIRE, Sampaio. Ensaios críticos. Raul Pompéia e Alberto de Olivera. Campinas, Casa Genour, 1916; p. 44-73. LEÃO, Múcio. Ouvindo o principe dos poetas brasileiros. (*In* Autores e livros, ano 9, X, 13, out., 1949; p. 149-152, 157.) Interview with Alberto de Oliveira. MONTALEGRE, Duarte de. Ensaio sôbre o parnasianismo brasileiro. Coimbra, Coimbra Editôra, 1945; p. 43-44, 71-72. VIANA, Francisco José Oliveira. Pequenos estudos de psicologia Social. São Paulo, Editôra Nacional, 1942. (Alberto de Olivera; p. 234-294.) One of the best studies on Oliveira.

OLIVEIRA, Felipe Daut d', 1891-1932. Lanterna verde. Rio de Janeiro, Sociedade Felipe d'Oliveira, 1943. (1st ed., Rio, Pimenta de Melo, 1926. 116 p.)

————. Obras. Rio de Janeiro, Sociedade Felipe d'Oliveira, 1937.

————. Vida extinta. Rio de Janeiro, Liga Marítima Brasileira, 1911.

CRITICAL REFERENCES: CARVALHO, Ronald de. Estudos brasileiros. 2a série. Rio de Janeiro, Briguiet, 1931. (Felipe de Oliveira; p. 47-66.) FREYRE, Gilberto. Perfil de Euclydes e outros perfis. Rio de Janciro, J. Olympio, 1944. (Felipe; p. 167-171.) IN MEMORIAM DE FELIPE D'OLIVEIRA. Rio de Janeiro, Ed. da Sociedade Felipe de Oliveira, 1933. Cf.: Manuel Bandeira: Número 31; p. 137-139. Mário de Andrade: Número 33; p. 149-156.

OLIVEIRA, Manoel Botelho de, 1636-1711. Obras de Botelho de Oliveira: Música do Parnaso, A Ilha da maré; com estudos de Afrânio Peixoto, Xavier Marques e Manuel de Sousa Pinto. Rio de Janciro, Pub. Academia Brasilcira de Letras, 1929. 189 p.
Música do Parnaso first appeared in Lisboa in 1705. See below.

―――. Música do Parnaso dividida em quatro córos de rimas portuguezas, castelhanas, italianas e latinas, com seu descante comico reduzido em duas comedias. Lisboa, por Miguel Manescal, 1705. xii, 340 p.

CRITICAL REFERENCE: PINTO, Manoel de Sousa. Manoel Botelho de Oliveira, poeta baiano. Pôrto, Tip. Portuguêsa, 1926. 19 p. See also introductions to editions cited.

OTÁVIO, Sonia. O pássaro de jade. Rio Janeiro, Ed. Laemmert, 1946. 143 p.

OTONI, José Eloy, 1674-1851. O Livro de Job. Rio de Janeiro, Tip. Brasiliense de F. Manuel Ferreira, 1852. xxxix, 42, 104 p.

―――. ―――. Nova edição. Rio de Janeiro, Leite Ribeiro, 1923.
Contains a biography and portrait of the author.

―――. Probérbios de Salomão. Bahia, Tip. de Manuel Antônio da Silva Serva, 1816. 357 p.
Latin and Portuguese texts on opposite pages.

―――. ―――. Rio de Janeiro, Tip. Austral, 1841. 167 p. Without Vulgate text.

CRITICAL REFERENCE: PARANHOS, Haroldo. História do romantismo no Brasil. V. I. São Paulo, Cultura Brasileira, 1937; p. 289-298.

PAOLIELO, Domingos. Caminho de homem. São Paulo, 1952. 28 p., unnumbered.

―――. Penumbra murmurante. São Paulo, Revista dos Tribunais, 1951. 92 p.

PASSOS, Vital Pacífico. Futebol, centauros e outros bichos. Rio de Janeiro, Pongetti, 1951. 184 p.
Satire on politics and sports

PEDERNEIRAS, Mário Paranhos, 1867-1915. Outono: versos de 1914. Rio de Janeiro, Leite Ribeiro, 1921. 77 p.

―――. Rondas noturnas. Rio de Janeiro, Comp. Tip. Brasil, 1901.
Other works: Agonia, n.d.; Histórias de meu casal, 1906; Ao léo de sonho e à mercê da vida, 1912.
Symbolist.

CRITICAL REFERENCE: VERÍSSIMO, José. Estudos de literatura brasileira. 4a série. 2nd ed. Rio de Janeiro, Garnier, 1910; p. 117-120.

PEIXOTO, Ignacio José de Alvarenga, 1744-1793. Obras poéticas; intro. e notas de J. Norberto de Sousa. Rio de Janeiro, Garnier, 1865. 270 p.
Includes the historical documents dealing with the life of Peixoto.

PEIXOTO, Mário Breves. Mundéu. Rio de Janeiro, Tip. S. Benedito, 1931.
A post-Modernist poet.

PENTEADO, Amadeu Arruba Amaral Leite, 1875 - 1929. Espumas. São Paulo, A Cigarra, 1917. 126 p.
Neo-Parnassian.

―――. Lâmpada antiga, 1924.

―――. Memorial de um passageiro de bonde. São Paulo, Cultura Brasileira, 1938.

―――. Obras completas. Ed. by Paulo Duarte. São Paulo, Ipê, 1948. 10 v.

————. Poesias. Seleção de Manuel Cerqueira Leite. São Paulo, Assunção, 1945.

CRITICAL REFERENCES: DUARTE, Paulo. Amadeu Amaral. Prefácio do volume I das Obras completas. São Paulo, Ipê, 1948; p. xi-xlvi. LEITE, Manoel Cerqueira. Intro. das Poesias. São Paulo, Assunção, 1945; p. 11-42.

PERNETA, Emiliano David, 1866-1921. Ilusão. Curitiba, Livr. Econômica, 1911.
Symbolist.

————. Pena de Talião. Curitiba, Livr. Mundial Lobato, 1914.

————. Obras. Ed. by Andrade Muricy. Rio de Janeiro, Z. Valverde, 1945. 2 v.

CRITICAL REFERENCES: MURICY, Andrade. Introdução da edição das Obras. Rio de Janeiro, Z. Valverde, 1945. V. I, p. i-xvii. PILOTTO, Erasmo. Emiliano. Curitiba, Gerpa, 1945, 196 p.

PICCHIA, Paulo Menotti del, 1892-   . Chuva de Pedras. São Paulo, Hélios, 1925.

————. Juca Mulato. São Paulo, Tip. Ideal, 1917. (5th ed., São Paulo, Monteiro Lobato, 1925.)

————. República dos Estados Unidos do Brasil, 1928.

————. Poesias; seleção de versos, pelo próprio A., com várias poesias inéditas. São Paulo, Nacional, 1933. 185 p.
Other poetic works: Poemas do vício e da virtude, 1913; Moisés, 1917. As máscaras, 1920; A angústia de d. João, 1922; 1926; O amor de Dulcinêa, 1928; Poemas de amor, 19—?; Jesus, 1933.
First volume was Parnassian; others belong to the modernista movement.

CRITICAL REFERENCES: ATHAYDE, Tristão de. Primeiros estudos. Rio de Janeiro, Agir, 1948. (Um poeta; p. 127-133.) CAMPOS, Humberto de. Crítica, V. III. Rio de Janeiro, J. Olympio, 1935. (Menotti del Picchia; p. 7-33.) LOPES, Albert R., and Willis D. Jacobs. Menotti del Picchia and

the Spirit of Brazil. (In Books Abroad, XXVI, 3, Summer, 1952; p. 240-243.)

PIMENTEL, Cyro de Melo. Espêlho de cinzas 1949-1950. São Paulo, Cadernos de Clube de Poesia, 1952. 24 p.
Poems of childhood.

————. Poemas. São Paulo, Cadernos de Clube de Poesia. 1948. 34 p.
First effort.

PINTO, Alcides. Noções de poesia e arte. Rio de Janeiro, Pongetti, 1952. 51 p.
Poems in verse and prose.

PIRAJÁ, Nair Miranda. Poemas. Rio de Janeiro, Olympio, 1950. 63 p.
Love lyrics.

PÔRTO-ALEGRE, Manoel José de Araújo, Barão de Santo Ángelo, 1806-1879. Brasilianas. Vienna, Imperial e real tip., 1863. 359 p.

————. Colombo; poema. Ed. do Instituto histórico e geográfico brasileiro. Rio de Janeiro, Comp. Tip. do Brasil, 1892. 734 p. illus. Colombo first published in 1866.
Epic poem.
Other works: Brasilianas, 1863, lyric poems; two dramas: O prestígio da lei and Angélica e Firmino.

————. O corcovado; brasiliana. Rio de Janeiro, Typ. do Estensor, 1847. 49 p.

————. A destruição das florestas; brasiliana em três cantos. Rio de Janeiro, 1846.

CRITICAL REFERENCES: ANTUNES, de Paranhos. O pintor do romantismo. Vida e obra de Manoel de Araújo Pôrto-Alegre. Rio de Janeiro, Z. Valverde, 1945. 238 p. ASSIS, Machado de. Crítica literária. Rio de Janeiro, Edição Jackson, 1936. V. XXIX. (Colombo, p. 108-111.) LÔBO, Hélio. Manoel de Araújo Pôrto-Alegre. Ensaio biobibliográfico. Rio de Janeiro, Edit. ABC, 1938. 180 p.

PRATES, Carlos Filinto. Labiata. Belo Horizonte, 1947. 110 p.
A mineiro poet, introduced by Mário Matos.

QUINTANA, Mário de Miranda, 1909-
. Canções. Pôrto Alegre, Globo, 1946. 173 p.
Post-Modernism poet whose poems have been compared to the music of Debussy and Ravel.

――――. Rua dos cataventos. Pôrto Alegre, Globo, n.d. (1940). 148 p.

RABELO, Laurindo José da Silva, 1826-1864. Obras completas. Poesia, prosa e gramática. Organização, introdução e notas por Oswaldo Melo Braga. São Paulo, Editôra Nacional, 1946. 548 p.

――――. Obras poéticas; introd. e notas de J. Norberto de Sousa Silva. Rio de Janeiro, Garnier, 1876. (New ed., 1900.)
Other works: Trovas, 1853; re-edited after his death with more poems under the title of Poesias, in 1867. See below.

――――. Poesias. Ed. by Sá Pereira de Castro. Rio de Janeiro, Tip. Pinheiro e Cia., 1867.

CRITICAL REFERENCES: BONSUCESSO, Anastácio Luís de. Quatro Vultos. Ensaios de biografia e crítica. Biblioteca do Instituto dos Bacharéis em Letras. Rio de Janeiro, Tip. do Correio Mercantil, 1867; p. 281-287, 290-294. SILVA, Joaquim Norberto de Sousa e Silva. Laurindo Rabelo. (In Revista do Instituto Histórico e Geográfico Brasileiro, XLII/2, 1879; p. 75-102.) See also introductions to editions cited.

RAMOS, Raul de Leoni, 1895-1926. Luz mediterrânea; prefácio de Rodrigo M. F. de Andrade. 3rd ed. Rio de Janeiro, Civilização Brasileira, 1940. 146 p. illus. (1st ed., 1922.)
Neo-Parnassian. Note: this collection was brought together after the death of the poet.

――――. Ode a um poeta morto. Rio de Janeiro, Jacinto Ribeiro dos Santos, 1918.

CRITICAL REFERENCES: GRIECO, Agrippino. Caçadores de símbolos. Rio de Janeiro, Leite Ribeiro, 1923. (Raul de Leoni; p. 281-287.) ――――. Vivos e mortos. 1931. (2nd ed. Rio de Ja-

neiro, J. Olympio, 1947.) (Luz mediterrânea; p. 163-172.)

REIS, Marcos Konder. David. Rio de Janeiro, Pongetti, 1946. 97 p.
Under the influence of Rimbaud.

――――. Menino de luto. Rio de Janeiro, Pongetti, 1947. 107 p.

RESENDE, Henrique de, 1899- . Turris ebúrnea, 1923.

RIBEIRO NETO, Oliveira. Cantos de glória. Poesias. São Paulo, Martins, 1946. 104 p.

RICARDO, Jacy G. Frô de Pena. Versos caipiras. Prefácio de Jorge de Lima. Rio de Janeiro, A Noite, 1946. 171 p.

RIPOLL, Lila. Porquê? Poesia. Rio de Janeiro, Olympio, 1947. 65 p.
Winner of an Academy prize in 1941 for Céu vazio.

RIVERA, Bueno. Luz do pântano. Rio de Janeiro, Olympio, 1948. 116 p.

ROCHA, Almeida. Cânticos de nordeste. Poesias. Prefácio de Berilo Neves. Rio de Janeiro, Pongetti, 1946. 55 p.
Poems of the sertão region.

RODRIGUES, Lauro. A ronda dos sentimentos. Sonetos e poemas. Pôrto Alegre, Globo, 1946. 70 p.

RODRIGUEZ, Wilson W. Bahia-Flor. Rio de Janeiro, Publicitan, 1949. 145 p.

――――. Pai João. 2a versão. Rio de Janeiro, Publicitan, 1952. 158 p.
Potpourri of Brazilian folklore in verse.

ROMERO, Sílvio Vasconcelos da Silveira Ramos, 1851-1914. Cantos do fim do século. Rio de Janeiro, 1878. 248 p.
Sílvio Romero tried to write a "scientific" type of poetry.

――――. Cantos populares do Brasil, colligidos por Sílvio Romero. 2a ed. Melhorada. Rio de Janeiro, São Paulo, Livr. Classica de Alves, 1897. xx, 357 p. (1st ed., 1883.)
See Essay section for studies on Sílvio Romero.

ROSA, Francisco Otaviano de Almeida, 1825-1889. Coletânea. Ed. by Xavier

Pinheiro. Rio de Janeiro, Revista da Língua Portuguêsa, 1925.
Romantic poet.

CRITICAL REFERENCE: MOTTA, Artur. Francisco Otaviano de Almeida Rosa. (*In* Revista da Academia Brasileira de Letras, no. 84, dezembro de 1928; p. 498-506.)

SALDANHA, José Natividade, 1795-1830. Poesias . . . colleccionadas, annotadas e precedidas de um estudo histórico por José Augusto Ferreira da Costa. Lisboa, 1875. 319 p.
Revolutionary poet—neoclassic style.

――――. Poesias offerecidas aos amigos, amantes do Brasil. Coimbra, Na Imprensa da Universidade, 1822. 136 p.

CRITICAL REFERENCE: MELO, Antônio Joaquim de. Biografia de José da Natividade Saldanha. Recife, M. Figueira Faria, 1895. 254 p.

SANTOS, Luís Delfino dos, 1834-1910. Poesias líricas. São Paulo, Nacional, n.d. (1934). 212 p.
Luís Delfino started to write around 1852 but did not publish during his lifetime. The volumes listed have since then been published.

――――. Algas e musgos. Rio de Janeiro, Pimenta de Melo, 1947.

――――. Arcos de triunfo. Rio de Janeiro, Pongetti, 1939.

――――. Atlante esmagado. Rio de Janeiro, Pongetti, 1936.

――――. Esbôço da epopéia americana. Rio de Janeiro, Pongetti, 1940.

――――. Imortalidades. Rio de Janeiro, Pongetti, 1941.

――――. Íntimas e aspásias. Rio de Janeiro, Pongetti, 1935.

――――. Posse absoluta. Rio de Janeiro, Guarani, 1941.

――――. Rosas negras. Rio de Janeiro, Pongetti, 1938.

CRITICAL REFERENCES: ESTRADA, Osório Duque. Luís Delfino. Conferência.

Rio de Janeiro, Tip. do Jornal do Comércio, 1915. 27 p. GRIECO, Agrippino. Evolução da poesia brasileira. 1932. (3rd ed. Rio, Olympio, 1947; p. 37-43.) ROMERO, Sílvio, Estudos da literatura contemporânea. Rio, Laemmert, 1885. (About Machado de Assis and Luís Delfino; p. 221-242.)

SCHMIDT, Augusto Frederico, 1906- . Canto da noite. São Paulo, Editôra Nacional, 1934. (2nd ed., 1946.)
One of Brazil's leading contemporary poets.

――――. A estrêla solitária. Rio de Janeiro, J. Olympio, 1940.

――――. Fonte invisível. Rio de Janeiro, J. Olympio, 1949. 236 p.

――――. O galo branco. Rio de Janeiro, J. Olympio (Col. Memórias-Diários-Confissões, 27), 1948. 200 p.
A spiritual diary.

――――. Mar desconhecido. Rio de Janeiro, J. Olympio, 1952. 154 p.

――――. Navio perdido. Rio de Janeiro, Cisneiro, 1929.

――――. Pássaro cego. Rio de Janeiro, Ipiranga, 1930.

――――. Poesias escolhidas. Rio de Janeiro, Americ-Ed., 1946. 357 p.

Other works: Canto do brasileiro Augusto Frederico Schmidt, 1928; Cantos do liberto, 1928; A desparição da amada, 1931; etc.

CRITICAL REFERENCES: ATHAYDE, Tristão de. Poesia brasileira contemporânea. Belo Horizonte, Paulo Bluhm, 1941. (A Estrêla solitária; p. 124-136.) BANDEIRA, Manuel. Apresentação da poesia brasileira. Rio de Janeiro, Casa do Estudante do Brasil, 1946; p. 181-184. BASTIDE, Roger. Poetas do Brasil. Curitiba, Guaíra, 1947. (Augusto Frederico Schmidt; p. 85-92; O mundo poético de Augusto Frederico Schmidt; p. 93-98.) CORREIA, Roberto Alvim. Anteu e a crítica. Rio de Janeiro, J. Olympio, 1948. (O descobrimento de Augusto Frederico Schmidt; p. 45-51.) FARIA,

Otávio de. Dois poetas. Rio de Janeiro, Ariel, 1935; p. 115-231. Monographic study. REVISTA ACADÊMICA: Número especial dedicado a Augusto Frederico Schmidt, no. 53, fevereiro de 1941. Essays by leading poets and critics.

SEABRA, Bruno Henrique de Almeida, 1837-1876. Flores e fructos; poesias. Rio de Janeiro, B. L. Garnier, 1862.
Sertanejista poet.

————. Um phenomeno do tempo, ou Lembrança de scenas passadas a bordo da galera Defensora; poemeto. Pará, 1855.

CRITICAL REFERENCE: ROMERO, Sílvio. História da literatura Brasileira. 1888. (3rd ed. Rio de Janeiro, J. Olympio, 1943. V. IV, p. 59-65.)

SERRA, Joaquim Maria (sobrinho), 1938-1888. Mosaico. Parahyba, 1856. 68 p.
One original poem; the rest are translations.

————. Quadros. Rio de Janeiro, B. L. Garnier (1873.) 148 p.

————. Versos de Pietro Castellamare (pseud.). São Luís do Maranhão, 1868. 154 p.
Contents: 1. Traducções. 2. Originais. 3. Humorísticas.

SILVA, Antônio Francisco da Costa e. Antologia. Rio de Janeiro, Civilização Brasileira, 1934. 280 p.
Other works: Sangue, 1908; Zodíaco, 1917; Verhaeren, n.d.; Pandora, 1919; and Verônica, 1927

SILVA, Antônio Joaquim Pereira da, 1877-1944. Holocausto. Rio de Janeiro, Leite Ribeiro, 1921.
Symbolist.

————. O pó das sandálias; com um estudo de João do Rio, em apenso. Rio de Janeiro, Leite Ribeiro, 1923. 216 p.

————. Solitudes. Rio de Janeiro, Leite Ribeira e Maurillo, 1918.
Other poetic works: Vae soli, 1905; Beatitudes, 1919; Senhora da melancolia, 1929; Alta noite . . ., 1940.

CRITICAL REFERENCE: PEREGRINO JÚNIOR. Discurso de posse. (*In* Revista da Academia Brasileira de Letras, LXXII, 1946; p. 26-94.)

SILVA, Domingos Carvalho da. Girassol de outono. Poemas, 1949-1951. Rio de Janeiro, A Noite, 1952. 62 p.

————. Praia oculta. São Paulo, Editôra Brasiliense, 1949. 93 p.

SILVA, Francisca Júlia da, 1874-1920. Esfinges (por) Francisca Júlia; com um apenso de vários autores. São Paulo, Monteiro Lobato, n.d. 168 p. (2nd ed., São Paulo, Monteiro Lobato, 1921.)
Parnassian.

————. Mármores. Pref. by João Ribeiro. São Paulo, Belfort Sabino, 1895.

SILVA, José Bonifácio de Andrada e, O Patriarca, 1765-1838. Cantigas bacchicas. Rio de Janeiro, 18—?

————. Poesias avulsas de Americo Elysio (pseud.). Bordeos, 1825. vii, 151 p.

————. Poesias, por José Bonifácio, Américo Elísio; prefácio de Afrânio Peixoto. Rio de Janeiro, Academia Brasileira de Letras, 1942. 187 p.
In this edition, the Poesias avulsas, first published in 1825 under the pseudonym of Américo Elísio, appear in facsimile.

————. Poesias de Américo Elysio. Rio de Janeiro, na. Tip. Universal de E. e H. Laemmert, 1861. viii, 204 p
Preceded by biographical sketch of the author by J. N. de Souza e Silva.

————. Poesias. V. I das Obras completas. Ed. por Sérgio Buarque de Hollanda. Rio de Janeiro, Instituto Nacional do Livro, 1946.

CRITICAL REFERENCES: AMARAL, Inácio Azevedo do. José Bonifácio. Rio de Janeiro, Grêmio Euclides da Cunha, 1917. 55 p. COELHO, Latino. Elogio histórico de José Bonifácio de Andrada. Lisboa, Tip. da Academia, 1877. 102 p. (New ed. by Afrânio Peixoto. Rio de Janeiro, Livros de

Portugal, 1952. 254 p.) NEIVA, Venáncio de Figueiredo. Resumo biográfico de José Bonifácio de Andrada, o Patriarca de Independência. Rio de Janeiro, Pongetti, 1938. 316 p. SOUSA, Octavio Tarquinio de. José Bonifácio. Rio de Janeiro, J. Olympio, 1945, 320 p. The fundamental biography. TORNA FILHO, Elysário. José Bonifácio, cientista, professor e técnico. Rio de Janeiro, Ed. Casa do Estudante do Brasil, 1944. 46 p.

SILVA, José Bonifácio de Andrade e, o Moço, 1827-1886. Poesias de José . . .; com uma notícia biográfica. Rio de Janeiro, Laemmert, n. d. 190 p.
Poetic works: Rosas e goivos, 1848; O redívivo, 1869.

SILVA, Juvenal Galeno da Costa e, 1836-1931. Lendas e canções populares: 1859-1865. 2a ed. aumentada com as novas canções e lendas. Fortaleza, Gualter R. Silva, 1892. 622 p.
Poetic works: Prelúdios poéticos, Rio de Janeiro, 1856; A Machadada, Fortaleza, 1860; Lendas e canções populares, 1865; Canções da escola, 1871; Lira cearense, Fortaleza, 1872.

CRITICAL REFERENCES: ANDRADE, Francisco Alves de. O pioneiro de folclore no nordeste do Brasil. (*In* Revista do Instituto do Ceará. 1948; p. 243-265.) With bibliography. LIMA, Onofre Muniz Gomes de. A poesia humana e popular de Juvenal Galeno. Fortaleza, 1946.

SILVA, Paulo Cesar da. Senhora do mar. São Paulo, 1952. 47 p.

SILVA, Sérgio Milliet da Costa e, 1898- . Poemas análogos (por) Sérgio Milliet. São Paulo, Niccolini e Nogueira, 1927. 121 p.
As one of the initiators of Modernism, Sérgio Milliet published in French first in Europe: Par le sentier, 1918; Le départ sous la pluie, 1921; and Œil de bœuf, 1923. In Brazil he published: Poems análogos, 1927; Poemas, 1938; and Oh valsa latejante, 1943.

————. Poesias. Pôrto Alegre, Ed. Globo, 1946. 160 p.

SILVEIRA, Cid. Poesias. Rio de Janeiro, J. Olympio, 1944.

SILVEIRA, Tasso Azevedo da, 1895- . O canto absoluto, seguido de Alegria do mundo; poemas. Rio de Janeiro, Cadernos da Hora Presente, 1940. 143 p.
Poetic works: Fio dágua, 1918; A alma heróica dos homems, 1924; Alegria do homem novo, 1926; As imagens acesas, 1928; Cântico do Cristo do Corcovado, 1931; Discurso ao povo infiel, 1933; and Descobrimento da vida, 1936.

SOUSA, Afonso Félix de. O túnel. Rio de Janeiro, Orfeu, 1948. 82 p.

SOUSA, Auta de, 1876-1901. Horto. Natal, Ofic. A República, 1900. (3rd ed., Rio de Janeiro. Tip. Batista de Sousa, 1936.)
Catholic symbolist.

CRITICAL REFERENCES: ATHAYDE, Tristão de. Prefácio da 3a edição de Horto. Rio de Janeiro, Tip. Batista de Sousa, 1936; p. i-iii. FIGUEIREDO, Jackson de. Auta de Sousa. Rio de Janeiro, Centro D. Vital, 1924. 62 p.

SOUSA, João da Cruz e, 1861-1898. Broquéis. Rio de Janeiro, Magalhães e Cia., 1893. 124 p.
Symbolist.

————. Evocações. Rio de Janeiro, Aldina, 1898.

————. Faróis. Rio de Janeiro, Tip. Instituto Profissional, 1900.

————. Missal. Rio de Janeiro, Magalhães e Cia., 1893.

————. Últimos sonetos. Paris, Aillaud, 1905. 204 p.

————. Obras completas. Ed. by Nestor Victor. Rio de Janeiro, Anuário do Brasil, 1923-1924. 2 v.

————. Obras de Cruz e Sousa. Tomo I: Versos; introd. de Fernando Góes. São Paulo, Cultura, 1943. 230 p.
Contents: Broquéis, Faróis, Últimos sonetos, and Poesias avulsas.

————. Poesias completas. Rio de Janeiro, Valverde. 1944. 236 p.

————. Obras poéticas. Ed. by Andrade Muricy. Rio de Janeiro, Instituto Nacional do Livro, 1945.
Definitive edition.

CRITICAL REFERENCES: ARARIPE, Tristão Alencar de (júnior). Literatura brasileira, movimento de 1893. Rio de Janeiro, Democrática Editôra, 1896; p. 90-100. BASTIDE, Roger. Poesia afro-brasileira. São Paulo, Martins, 1943. (Four studies on Cruz e Sousa; p. 86-128.) NETO, Silveira. Cruz e Sousa. Rio de Janeiro, Anuário do Brasil, 1924. 43 p. PÁDUA, Antônio de. À margem do estilo de Cruz e Sousa. Rio de Janeiro, Serviço de Documentação do Ministério da Educação e Saúde, 1946. 48 p. PUTNAM, Samuel. Marvelous Journey: A Survey of Four Centuries of Brazilian Writing. New York, Alfred A. Knopf, 1948; p. 173-175. Compares Sousa with North American Negro poets. SANTOS, Nestor Victor. Cruz e Sousa. Rio de Janeiro, s.e., 1899. 56 p.

SOUSA, Pedro Luís Pereira de, 1839-1884. Dispersos, de Pedro Luís. Ed. by Afrânio Peixoto. Rio de Janeiro, Academia Brasileira de Letras, 1934. 327 p. illus.
Precursor of *condoreismo.*
Present volume divides his poetry as follows: I. Épicas; II. Líricas; III. Satíricas; IV. Traduções; a part in prose, biographical notes, and a bibliography of the poet.

CRITICAL REFERENCE: ROMERO, Sílvio. História da literatura brasileira. 1888. (3rd ed. Rio de Janeiro, J. Olympio, 1949. V. IV, p. 100-108.)

SOUSA CALDAS, Antônio Pereira de, 1762-1814. Obras poéticas do revdo. Antônio Pereira de Sousa Caldas. Paris, na. Offic. de P. N. Rougeron, 1820-1821. 2 v.
Contents: 1. Psalmos de David vertidos em português. 2. Poesias sacras e profanas.
One of Brazil's finest religious poets.

————. Poesias sacras de Antônio Pereira de Sousa Caldas, com as notas e additamentos de Francisco de Borja Garção Stockler. Rio de Janeiro, Typ. Cinco de Março, 1872. 127 p.

CRITICAL REFERENCE: REIS, Francisco Sotero dos. Curso de literatura portuguêsa e brasileira. V. IV. São Luís do Maranhão, Tip. do País, 1873; p. 231-286.

TAVARES, Odorico. Poesias. Rio de Janeiro, J. Olympio, 1945. 230 p.

————. A sombra do mundo; poemas. Rio de Janeiro, J. Olympio, 1939. 67 p.

TEIXEIRA, Bento, 1540?-1618. Prosopopéa, por Bento Teixeira; reproducção fiel da edição de 1601, segundo o exemplar existente na Biblioteca Nacional e publica do Rio de Janeiro. Rio de Janeiro, Typ. do Imperial Instituto Artístico, 1873. v, 46 p. Illus. (1st ed., 1601.)

————. Prosopopéa. Com prefácio de Afrânio Peixoto. Rio de Janeiro, A. Pinto, 1923. 77 p.

————. Relação do naufragio que fez Jorge Coelho, vinto de Pernambuco em a nau Sancto Antonio, em o anno de 1565. (Followed by) Prosopopéa dirigida a Jorge d'Albuquerque Coelho (in octava rima). Lisboa, por Antônio Alvares, 1601.

TRAVASSOS, Renato. Oração ao sol. Poesia. 3a ed. Rio de Janeiro, J. Olympio, 1946. 256 p.
Poems by a belated Parnassian.

VARELA, Luís Nicolau Fagundes, 1841-1875. Anchieta ou O Evangelho nas selvas. Rio de Janeiro, Possolo, 1875.
19th-century Romantic poet.

————. Cantos e Fantasias. São Paulo, Garraux, 1865.

————. Cantos do ermo e da cidade. Rio de Janeiro, Garnier, 1869.

————. Cantos meridionais. Rio de Janeiro, Laemmert, 1869.

————. Cantos religiosos. Rio de Janeiro, Laemmert, 1878.

————. O Diário de Lázaro. Rio de Janeiro, Ed. da Revista Brasileira, 1880.

————. O Estandarte Auri-Verde. São Paulo, Azevedo Marques, 1863.

————. Vozes da América. São Paulo, Azevedo Marques, 1864.

————. Obras completas. Ed. organizada e revista, e precedida de uma noticia biographica por Visconti Coaracy e de um estudo crítico pelo Dr. Franklin Tavora. Rio de Janeiro, B. L. Garnier, 1886. 3 v.

————. Obras completas de Fagundes Varela; pref. de Edgard Cavalheiro. Rio de Janeiro, Valverde, 1943. 3 v.
Contents: 1. Vozes da América, Noturnas e avulsas. 2. Cantos e fantasias, Cantos meridionais, Canto de êrmo e da cidade. 3. Anchieta ou o evangelho nas selvas e Diário de Lázaro.

————. Obras completas. São Paulo, Ed. Cultura, 1943. 624 p.

CRITICAL REFERENCES: ATHAYDE, Tristão de. Poesia brasileira contemporânea. Belo Horizonte, Paulo Bluhm, 1941. (Varela; p. 35-48.) BANDEIRA, Manuel. Apresentação da poesia Brasileira. Rio de Janeiro, Casa do Estudante do Brasil, 1946; p. 81-87. CAVALHEIRO, Edgard. Fagundes Varela. São Paulo, Martins, 1940. 351 p. Complete critical biography with bibliography. FARIA, Alberto. Fagundes Varela. (In Revista da Academia Brasileira de Letras, no. 41, março de 1925; p. 349-394.) GALVÃO, Benjamin Franklin Ramiz. O poeta Fagundes Varela, sua vida e sua obras. Rio de Janeiro, Rohe, 1920. 28 p. MOTA, Otoniel. Fagundes Varela. (In Revista da Língua Portuguêsa, no. 25, setembro de 1923; p. 91-109.) REZENDE, Carlos Pendeade de. Interpretação biográfica de Fagundes Varela. (In Investigações, ano 2, no. 16, abril de 1950; p. 27-43). TÁVORA, Franklin. O Diário de Lázaro. (In Revista Brasileira, V, 1880; p. 357-390.) VILALVA, Mário. Fagundes Varela, sua vida, sua obra, sua glória. Rio de Janeiro, Pongetti, 1931. 149 p. First biography.

VASCONCELOS, Valdemar de. Poesias. Pôrto Alegre, Globo, 1944. 140 p.
Other work: As visitas das horas tardias, 1944.

VELOSO, Natércia Cunha. Teia de sonhos. Pôrto Alegre, Globo, 1950. 147 p.

VIDIGAL, Geraldo. Cidade. São Paulo, Martins, 1952. 95 p.

WAMOSY, Alceu, 1895-1923. Poesias. 2a ed. Pôrto Alegre, Globo, 1925.
Symbolist.

CRITICAL REFERENCE: BERNARDI, Mansueto. A vida e os versos de Alceu Wamosy. Prefácio da 2a edição de Poesias. Pôrto Alegre, Globo, 1925; p. i-xxx.

V. The Theater

A. THEATER: GENERAL STUDIES

ASSIS, Joaquim Maria Machado de. Crítica teatral. Rio de Janeiro, Jackson, 1938. 322 p.
A collection of essays on the Brazilian theater and reviews on plays taken from newspapers from 1859 to 1879.

CAMARGO, Joracy. Teatro brasileiro; teatro infantil. Rio de Janeiro, Ministério da Educação e Saúde, 1937. 51 p. A lecture.

FLEIUSS, Max. O teatro no Brasil e sua evolução. (In Dicionário histórico, geográfico e etnográfico do Brasil. Conmemoração do 1° Centenário da Independência. Rio de Janeiro, Imprensa Nacional, 1922. V. II, p. 1532-1550.)

MACHADO, Antônio de Alcantara. Cavaquinho e saxofone (1926-1935). Rio de Janeiro, J. Olympio, 1940. 534 p. Pages 415-469 are dedicated to the Brazilian theater.

MARINHO, Henrique. O teatro brasileiro. Rio de Janeiro, Garnier, 1904. 171 p.
Not an important study.

MENDONÇA, Carlos Süssekind de. História do teatro brasileiro. V. I. Rio de Janeiro, Mendonça Machado, 1926. 244 p.

MORAIS FILHO, Mello. O teatro no Rio de Janeiro. Prefácio da edição de Teatro de Martins Pena. Rio de Janeiro, Garnier, 1898; p. v-xliii.

PAIXÃO, Mucio da. O teatro no Brasil. (Obra pósthuma.) Rio de Janeiro, Brasilia (1936). 606 p.
History of theaters, actors, types, legislation, and so on, rather than of dramatists.

ROSA, Abadie Faria. O teatro no Distrito Federal. (*In* Aspectos do Distrito Federal, Rio de Janeiro, Gráf. Sawer, 1943; p. 195-211.)

SILVA, Lafayette. História do teatro brasileiro. Rio de Janeiro, Ministério da Educação e Saúde, 1938. 489 p.
The most complete history of the theater from its beginnings to 1937, including theatrical companies, repertories, periodicals, opera, music, and dance.

SOCIEDADE BRASILEIRA DE AUTORES TEATRAIS. Rio de Janeiro. Boletim. Rio de Janeiro, 1920, and following. 224 issues published in its 25 years of existence.

SOUZA, Cláudio de. O teatro no Brasil. (*In* Congreso Internacional da História da América. Rio de Janeiro, Imprensa Nacional, 1930. V. IX, p. 551-586.)

B. THE THEATER

ALENCAR, José Martiniano de, 1829-1877. As azas de um anjo; comedia em um prologo, quatro actos e um epilogo. Rio de Janeiro, B. L. Garnier, 1860. 215 p. (3rd ed. revised. Rio de Janeiro, H. Garnier, 1900? 260 p.)

———. O credito; comedia em cinco actos.
"Representada no theatro Gymnasio em Janeiro de 1858, e publicada na Revista Brasileira, 1895- a 1896." Manual bibliográfico de estudos brasileiros.

———. O demônio familiar; comedia em quatro actos. Rio de Janeiro, B. L. Garnier, 1857. 159 p. (3rd ed. Rio de Janeiro, Garnier, 1903. 199 p. Ed., São Paulo, Record, 1938.)

———. A expiação; comedia em quatro actos. Rio de Janeiro, 1868. 148 p.

———. El guarany; opera . . . puesta en musica por. . . . A. Carlos Gomes. Montevideo, 1876.

———. O jesuíta; drama em quatro actos. Nova. ed. Rio de Janeiro, Paris, H. Garnier, 1900. lix, 188 p.

———. Mãe. 2a ed. Rio de Janeiro, Garnier, 1865. (1st ed., 1862.)
First presentation was in 1860. Machado de Assis considered this as one of the best of Brazilian plays.

———. A noite de S. João; comedia lyrica em dous actos. Musica de Elias Alvares Lobo. Rio de Janeiro, 1860. 49 p.

———. Verso e reverso; comedia em dous actos. 2a ed., revista pelo autor. Rio de Janeiro, 1864. 91 p. (3rd ed., Rio, Garnier, 1900. 95 p.)
"Representada pela primeira vez em 28 de outubro de 1857."

CRITICAL REFERENCES: ASSIS, Machado de. Crítica teatral. Rio de Janeiro, Edição Jackson, 1936. V. XXX. (A mãe, de José de Alencar; p. 158-168; O teatro de José de Alencar; p. 238-255.) VERÍSSIMO, José. Estudos da literatura brasileira. 3rd series. Rio de Janeiro, Garnier, 1903. (José de Alencar e o Jesuíta; p. 135-162.)

ALMEIDA, Francisco Filinto de, 1857- . O beijo; comedia em 1 acto, em verso. Rio de Janeiro, Tip. Jornal do Comercio, 1907. 39 p.

———. O defuncto; comedia em 1 acto, em verso. Lisboa, Tip. da Cia. Nacional Edit., 1894. 33 p.

————. Um idioma; entre-acto comico. Rio de Janeiro, S. J. Alves, 1876. 16 p.

————. Os mosquitos; monologo em verso. Rio de Janeiro, Tip. Central de Evaristo Costa, 1887. 9 p.

ALMEIDA, Manoel Antônio de, 1831-1861. Dous amores; drama lyrico em tres actos. Poesia (imitação do italiano de Piave) pelo Dr. Manoel Antonio de Almeida. Musica da Condessa Raphaela de Rozwadowski. Rio de Janeiro, 1861. 60 p.

ALVES, Antônio de Castro, 1847-1871. Gonzaga, ou A revolução de Minas; drama histórico brazileiro. Precedido de uma carta do exm. sr. conselheiro José de Alencar e de outra do illm. sr. Machado de Assis. Rio de Janeiro, A. A. da Cruz Coutinho, 1875. 90, xx p.
For studies on Castro Alves, see section on Poetry.

ANCHIETA, José de, 1533-1597. Auto representado na festa de São Lourenço. Peça trilingüe do século XVI, transcrita, comentada e traduzida, na parte tupi, por M. de L. de Paula Martins. São Paulo, Museu Paulista (Bol. 1, ano 1, Documentação Linguística, 1) 1948. 142 p.

————. Na vila de Vitória *e* Na visitação de Santa Isabel. Peças em castelhano e português, do século XVI, transcritas e comentadas por Maria de Lourdes de Paula Martins. São Paulo, Museu Paulista (Bol. 3, ano 2 - 3, Documentação linguística, 3) 1950. 159 p.

ANDRADE, José Maria Goulart de, 1881-1936. Theatro. (In verse.) Rio de Janeiro, Paris, Garnier, 1909. 168 p.
Contents: Depois da morte. Renúncia. Sonata ao luar. Jesus.

————. Theatro. Sér. 2. Rio de Janeiro, Paris, H. Garnier, 1910. 133 p.
Contents: Os inconfidentes (peça em 4 actos) [in verse].

ANDRADE, Oswald de, 1890-   . O homem e o cavalo. São Paulo, 1934.

"Peça em nove cenas. . . . Sátira amarga e surrealista, da sociedade contemporânea, poovada de sêres históricos, bíblicos e mitológicos, e de animais. É tão acentuadamente pro-comunista como anti-capitalista."

————. Teatro: A morta, O rei da vela. Rio de Janeiro, J. Olympio, 1937. 154 p.

ARANHA, José Pereira da Graça, 1868-1931. Malazarte; légende em trois actes. Préfacio de Camille Mauclair. Paris, Garnier, 1921. xiv, 127 p. (1st ed., 1911.)

ASSIS, Joaquim Maria Machado de, 1839-1908. Desencantos; fantasia dramática. Rio de Janeiro, 1861. 76 p. 1st ed.

————. Os deuses de casaca; comedia em um acto, com um prologo e um epilogo em verso alexandrino. Representada pela primeira vez a 28 de dezembro de 1865 na sociedade Arcadia fluminense. Rio de Janeiro, 1866. viii, 59 p.

————. Quasi ministro; comedia em um acto. Rio de Janeiro, 1865? (Published first in Almanak Illustrado of Semana Illustrada for 1864; p. 9-33.)

————. Teatro. Rio de Janeiro, Jackson, 1938.
Collection of eight plays in one act, first staged between 1862 and 1880.

————. Teatro. V. I. Rio de Janeiro, 1863. viii, 85 p.
Contents: O caminho da porta, comedia em um acto. O protocolo, 1863, comedia em um acto.

————. Teatro. Colijido por Mário de Alencar. Rio de Janeiro, H. Garnier, 1910. 369 p.
Contents: Advertencia. Carta a Quintino Bocayuva. Carta de Quintino Bocayuva. O caminho da porta. O protocolo. Quasi ministro. Os deuzes de cazaca. Tu só, tu puro amor. Não consultes medico. Lição de botanica.

CRITICAL REFERENCE: SILVA, Lafayette. O teatro de Machado de Assis. (*In* Revista da Academia Brasileira de Letras, no. 120, dezembro de 1931; p. 467-471.)

AZEVEDO, Aluízio Tancredo Bello Gonçalves de, 1857-1913. Caboclo; drama em 3 actos, de colaboração com o Snr. Emilio Rouède. Rio de Janeiro, Empreza Heller, 1886.

————. Casa de orates; comedia em 3 actos, de collaboração com o Snr. Emilio Rouède. Rio de Janeiro, Empreza Heller, 1882.

————. Um caso de adulterio; drama em 3 actos. Collaboração com E. Rouède. Rio de Janeiro. Representado no theatro Sant'Anna.

————. O mulato; drama em 3 actos. Rio de Janeiro, Empreza Dias Braga, 1884.

————. Philomena Borges; comedia em 1 acto. Rio de Janeiro, Empreza Braga Junior, 1884. (4th ed., Rio de Janeiro, Briguiet, 1943. 219 p. Contains preface to third edition by M. Nogueira da Silva.)

————. Os sonhadores; comedia em 3 actos. Representada com o titulo Macaquinhos no sotão. Theatro Sant'-Anna. Rio de Janeiro, Empreza Heller, 1887.

AZEVEDO, Artur Gonçalves de, 1855-1908. O dote. Rio de Janeiro, Livr. Luso-Brasileira, 1907. Three acts.
First performed in 1907. For a very complete statement on Gonçalves de Azevedo, see FORD.

————. O escravocrata. Rio de Janeiro, A. Guimarães, 1884. Three acts.
An abolitionist play.

————. Vida e morte. Rio de Janeiro, Sociedade Brasileira de Autores Teatrais, 1932. Three acts.
First staged in 1908.

AZEVEDO, Manoel Antônio Álvares de, 1831-1852. Macário. São Paulo, Martins, 1941. (Written about 1850.)

BARBOSA, Domingos Caldas, 1738?- 1800. A saloia namorada, ou O remedio é casar; pequena farça dramatica . . . representada . . . no real theatro de S. Carlos. Lisboa, por S. T. Ferreira, 1793. 22 p.

————. A vingança da cigana; drama jocoserio em um só acto, para se representar no real theatro de S. Carlos. . . . Lisboa, na Offic. de S. T. Ferreira, 1794. 47 p.

BARRETO, João dos Santos, 1878-1921. A bela Madame Vargas. Rio de Janeiro, Briguiet, n.d. Three acts. Written in 1912.
Other plays: Eva, 1915; and Última noite.

BENEDETTI, Lúcia. O banquete. Peça em 1 ato. Simbita e o dragão. Peça infantil em 3 atos. Rio de Janeiro, Sociedade Brasileira de Autores Teatrais, 1952. 77 p.

BOCAYUVA, Quintino. A família. Rio de Janeiro, Tip. Perseverança, 1866. Five acts.
First staged in 1859.

DURGAIN, Luiz Antônio. Três amores ou o governador de Braga. Rio de Janeiro, Laemmert, 1860. Four acts.
First staged in 1848. Romantic drama of old Portugal.

CAMARGO, Joracy. O amigo da família. Rio de Janeiro, Sociedade Brasileira de Autores Teatrais, 1951. 69 p.
Three-act comedy of a father who returns to his family after a 15-year absence.

————. Anastácio. Tragi-comedia em três atos, divididos em 6 quadros. Terceira ed. Rio de Janeiro, Z. Valverde, 1945. 205 p.

————. O burro. Peça em três atos. Rio de Janeiro, Z. Valverde, 1945. 156 p.

————. Deus lhe pague. . . . 7th ed. Rio de Janeiro, Z. Valverde, 1942. Three acts. Translated into Spanish.
First staged in 1932, has had over 1,000 runs.

————. A pupila dos meus olhos. Comédia em três atos. Rio de Janeiro, Z. Valverde, 1945. 196 p.
Other plays: Maria Cachucha, 1940.

CAMPELLO, Samuel. Mulato. Rio de Janeiro, Sociedade Brasileira de Autores Teatrais, 1935. Three acts.
First performed in 1935. Shows danger of the persistence of racial discrimination.

CAMPOS, Eduardo. O demónio e a rosa. Peça teatral. (*In* Clã, ano 1, no. 1, fev., 1948; p. 4-27.)

CARDOSO, Lúcio, 1913- . O escravo. Rio de Janeiro, Valverde, 1945. 193 p.

————. O filho pródigo. (*In* Colégio, ano 2, no. 5, 1949; p. 41-86.)

COELHO NETO, Henrique Maximiano, 1864-1934. O dinheiro. (Teatro de Coelho Neto, tomo V, Pôrto, Lélo e Irmão, 1917.) Three acts.
First performed in 1912.

————. Theatro. I-V. Pôrto, Livr. Chardron, 1907-1917. 5 v.
Contents: 1. Coméidas: O relicario. Os raios x. O diabo no corpo. 2. Peças em um ato: As estações (em verso). Ao luar. Iroma. A mulher. Fim de raça. 3. Nevo ao sol. A muralha. 4. Quebranto. Nuvem. 5. O dinheiro. Bonança. O intruso.

CORRÊA, Viriato, 1884- . Marquesa de Santos. S. l., Getúlio M. Costa, s.d. Three acts.
First staged in 1938. A historical play.

————. A sombra dos laranjais. (*In* Revista da Academia Brasileira de Letras, ano 46, V. LXXIII, jan.-junho, p. 127-216.)
First performed by the Eva Tudor company at the Serrador Theater in Rio de Janeiro in 1944.

————. Nossa gente. Rio de Janeiro, Agência Pub. Mundiais, 1940. Three acts.
First performed in 1920.
Other plays: Mangerôna; Sansão; O homem de cabeça de ouro; and Tiradentes, 1941.

CRUZ, Eddy Dias da, 1907- . Aventuras de Barrigudinho. Rio de Janeiro, Pongetti, 1928. 45 p. Author's pseuds., Marques Rebêlo and Arnaldo Tobaiá, at head of title.

————. Rua Alegre, 12. Curitiba, Ed. Guaíra, 1940.

CUNHA, Humberto. A vida tem três andares. Rio de Janeiro, Sociedade Brasileira de Autores Teatrais, 1951. 103 p.

DANTAS, Raymundo de Souza. Desespero de Job. (*In* Provincia de São Pedro, no. 13, março-junho, 1949; p. 40-48.)

DIAS, Antônio Gonçalves, 1823-1864. Obras posthumas, precedidas de uma noticia de sua vida e obras pelo Dr. Antônio Henriques Leal. Sãn Luís do Maranhão, B. de Mattos, 1868-1869. 6 v.
Plays in volumes IV and V: Contents: IV. Patkull, Beatriz Cenci. V. Leonor de Mendoça, Boabdil.

————. Leonor de Mendoça; drama original em três atos e cinquo quadros. Rio de Janeiro, 1847. 39 p. In prose.

DUARTE, Bandeira. Falta de assunto. Rio de Janeiro, Irmãos Pongetti, 1935. Three acts. Written in 1932.

EIRÓ, Paulo. Sangue limpo. Drama original em três actos e prólogo. (*In* Revista do arquivo municipal, São Paulo, ano 14, V. CXVIII, abril-junho, 1948; p. 21-98.)
Historical drama set in the Independence period, with an abolitionist thesis; originally published in 1863.

CRITICAL REFERENCE: GONSALVES, José A. Notas ao drama 'Sangue limpo.' (*In* Revista do arquivo municipal, São Paulo, ano 14, V. CXVIII, abril-junho, 1948; p. 101-110.)

FONSECA, Domingos Joaquim da, b. 1829- . Manuel Beckman. Pernambuco, Tip. Apolo, 1888.
Historical play in six acts in verse, first performed in 1868.
Blake also cites: Mathilde, Bahia, 1875; and Remorsos, Bahia, 1868.

FORNARI, Ernâni. Iaiã Boneca. Rio de Janeiro, Serviço Gráfico Ministerio Educação, 1939. Four acts.
First performed in 1938.
Also: Nada, 1938; and Sinha moça chorou, 1941.

————. Sem rumo. Rio de Janeiro, Sociedade Brasileira de Autores Teatrais, 1951. 105 p.

FRANCA, José Joaquim da (júnior), 1838-1890. Direito por linhas tortas.

Rio de Janeiro, A. A. da Cruz, Coutinho, s.d. Four acts.
First performed in 1889 and published in 1871. A satire on the feminist movement in Brazil. Other plays: A república modelo, 1861; Meia hora de cinismo, 1861; Inglêses na costa, 1864; and As doutoras, 1889.

FRANCO, Afonso Arinos de Melo, 1868-1916. O contratador dos diamantes. Rio de Janeiro, F. Alves, 1917. Three acts.
Also: O mestre do campo, 1918.

FREIRE, Júnior. Luar de Paquetá. Peça em 3 atos. Rio de Janeiro, Sociedade Brasileira de Autores Teatrais, 1952. 58 p.

GONDIM FILHO, Isaac. Conflito na conciência. Recife, The Author, 1951. 140 p.

GONZAGA, Armando. Ministro do supremo. São Paulo, Liv. Teixeira, 1940. Three acts.
First performed in 1921.
Also: O troféu, 1942.

GUIMARÃENS, Luís Caetano Pereira (júnior), 1847?-1898.
Plays: Uma cena contemporânea, 1862; As quedas fatais; André Vidal, O caminho mais curto.

GUIMARÃES, Francisco Pinheiro, 1832-1877. História de uma moça rica. Rio de Janeiro, Tip. do Diário do Rio de Janeiro, 1861. Four acts.
First performed in 1861.
Also: A punição, 1864.

GURGEL, Amaral. Rua nova. Comédia em 3 atos. Rio de Janeiro, Sociedade Brasileira de Autores Teatrais, 1952. 77 p.

IGLEZIAS, Luiz. Bicho do mato. Comédia em três atos. Rio de Janeiro, Z. Valverde, 1945. 127 p.
Other plays: O último Guilherme, 1938; and Chuvas de verão, 1942.

CRITICAL REFERENCE: IGLEZIAS, Luiz. O teatro de minha vida. Rio de Janeiro, Z. Valverde, 1945. 206 p. A playwright looks at life.

JACINTHA, Maria (Trovão de). Conflito. Pôrto Alegre, Ed. Meridiano, 1942. Three acts.

Performed in 1939.
Also: Campos and O gôsto da vida, 1939.

LACERCA, Mauricio e MODESTO, Heitor. Flôr de lotus. Rio de Janeiro, Freitas Bastos, s.d. Three acts. Written in 1924.

LACERDA, Carlos de. O rio. São Paulo, Estab. Gráf. Cruzeiro do Sul, 1943. Three acts.
First performed in 1937.

LIMA, Manoel de Oliveira. Secretário d'El-Rey. Rio de Janeiro, Garnier, 1904. Three acts. Written in 1889.
A historical play about 18th-century Portugal.

LOPES, Oscar, 1882-1938. Os impunes. Rio de Janeiro, Garnier, 1911. Three acts.
First performed in 1910.
Also: Theatro, 1911.

MACEDO, Joaquim Manoel de, 1820-1882. O cégo; drama (em cinco actos, e em verso heroico). Nitéroi, 1849. 83 p.

———. Cincinnato quebra-louça, comedia em cinco atos. Rio de Janeiro, B. L. Garnier, 1873. 177 p.

———. Cobé, drama em 5 atos. (In verse.) Rio de Janeiro, 1852?

———. Lusbela; drama em um prólogo e quatro atos. Rio de Janeiro, B. L. Garnier, Paris, Garnier Irmãos, 1863. 140 p.

———. Luxo e vaidade. (Teatro de Macedo, tomo I.) Rio de Janeiro, Garnier, 1863. Five acts.
First performed in 1860.

———. O primo da California; opera em dous atos, imitação do francez. Rio de Janeiro, Tip. de F. de Paula Brito, 1858. 142 p.

———. Romance de uma velha; comédia. Rio de Janeiro, 18—?

———. Teatro do doutor Joaquim Manoel de Macedo. Rio de Janeiro, B. L. Garnier, 1863. 3 v. (2nd ed., 1895.)
Contents: 1. Luxo e vaidade. O primo da California. Amor e patria. 2. A torre em

concurso. O cégo. Cobé. O sacrificio de Isaac. 3. Lusbela. O phantasma branco. O novo Othelo.

———. Vingança por vingança; drama em quatro atos. Rio de Janeiro, 1877.

CRITICAL REFERENCE: ASSIS, Machado de. Crítica teatral. Rio de Janeiro, Edição Jackson, 1936. V. XXX. (O teatro de J. M. de Macedo; p. 255-285.)

MAGALHÃES, Antônio Valentim da Costa, 1859-1903. O conselheiro; comédia vaudeville em 3 actos. Rio de Janeiro, Casa Mont'Alverne, 1897. 29 p.

———. Doutores; comédia em 3 actos. Rio de Janeiro, Casa Mont'Alverne, 1898. 91 p.

———. Ignacia do Couto. Rio de Janeiro, Laemmert, 1889. 87 p. In collaboration with Alfredo de Souza. A parody, in verse, of Ignez de Castro.

MAGALHÃES, Domingos José Gonçalves de, Visconde de Araguaya, 1811-1882. Antônio José, ou O Poeta e a inquisição; tragédia. Rio de Janeiro, 1839. 118 p.

———. Olgiato; tragédia em cinco actos. Rio de Janeiro, 1841. 128 p.

———. Trans. Othello, ou O mouro de Veneza; tragédia de Ducis. Traducção. Rio de Janeiro, 1842.

CRITICAL REFERENCES: ASSIS, Machado de. Crítica teatral. Rio de Janeiro, Edição Jackson, 1936. V. XXX. (O teatro de Gonçalves de Magalhães; p. 219-228.) MENDONÇA, Carlos Süssekind de. História do teatro brasileiro. V. I. Rio de Janeiro, Mendonça Machado, 1936; p. 153-172.

MAGALHÃES, Heloisa Helena. Granfinos em apuros: comédia em três atos. Rio de Janeiro, Sociedade Brasileira de Autores Teatrais, 1944. 70 p.

MAGALHÃES, Paulo Ribeiro de. O diabo enloqueceu. Comédia em três atos. Rio de Janeiro, Sociedade Brasileira de Autores Teatrais, 1946. 61 p.
Also: Feia, 1941.

MAGALHÃES, Raimundo (júnior), 1907-. Carlota Joaquina. Rio de Janeiro, Serviço Gráfico Ministerio Educação, 1940. Three acts.
First performed in 1939. A historical play by one of Brazil's most popular present-day dramatists.

———. A família lero-lero. Comédia em três atos. Rio de Janeiro, 1945?

———. O imperator galante. Comédia de fundo histórico, em três atos. Rio de Janeiro, Z. Valverde, 1946. 165 p.

———. Trio em lá menor. Comédia em três atos. Rio de Janeiro, Ed. Sociedade Brasileira de Autores Teatrais, 1946. 78 p.

———. Villa Rica. Peça em quatro atos, baseada em acontecimentos reais verificados na cidade de Vila Rica de Ouro Prêto. Rio de Janeiro, Z. Valverde, 1945. 126 p.
Other plays: Mentirosa, 1938; and Um judeu, 1939.

MESQUITA, Alfredo. Em família. São Paulo, Ed. Spes, 1937. Three acts.

———. Os priamidas. Rio de Janeiro, J. Olympio, 1943. 158 p. Three acts.

MOREYRA, Álvaro, 1888- . Adão, Eva e outros membros da família. Rio de Janeiro, Pimenta de Melo e Cia., 1929. Four acts.
First performed in 1927.

NUNES, Feliciano Joaquim de Souza. Corja opulenta. Rio de Janeiro, Tip. Politécnica de Morais e Filhos, 1887. Three acts.
First performed in 1884. An abolitionist play.

OLIVEIRA, José Manoel Cardoso de. O sorvedouro. Rio de Janeiro, Garnier, 1902. Five acts.
First written in French and performed in 1901.

ORLANDO, Paulo. O crime do Libório. Comédia em três atos. Rio de Janeiro, Sociedade Brasileira de Autores Teatrais, 1946. 74 p.

PEIXOTO, Ignacio José de Alvarenga, 1744-1793. Enéas no Lacio. (Drama in verse.)

PENA, Luís Carlos Martins, 1815-1848. Comédias. Nova Edição. Rio de Janeiro, Garnier, s. d.
Contents: O Juiz da Paz na roça, 1838; and O caixeiro da taverna, 1845.
Other important works: O Judas em sábado de Aleluia, 1844; O Irmão das almas, 1844; O Noviço, 1845; Quem casa quer casa, 1845; Os três médicos, 1845; Os namorados, 1845; and A barriga de meu tio, 1846.

————. O juiz de paz na roça e O Judas no sábado de aleluia. Estabelecimento de texto e notas por Amália Costa. Rio de Janciro, Simões, 1951. 133 p. illus.

————. Teatro. Ed. by Melo Moraes Filho and Sílvio Romero. Rio de Janeiro, Garnier, 1898.

————. Teatro cômico. São Paulo, Ed. Cultura, 1943.

CRITICAL REFERENCES: FORNARI, Ernâni. Martins Pena, seu tempo e seu teatro. (*In* Provincia de São Pedro, no. 11, março-junho, 1948; p. 89-94.) ROMERO, Sílvio. Vida e obra de Martins Pena. Pôrto, Lello, 1901. 195 p. VEIGA, Luís Francisco da. Carlos Martins Pena, o criador da comédia nacional. (*In* Revista do Instituto Histórico e Geográfico Brasileiro, XL, 2, 1877; p. 375-407.) VERÍSSIMO, José. Estudos de literatura brasileira. 1a série. Rio de Janeiro, Garnier, 1901. (Martins Pena e o teatro brasileiro; p. 167-190.)

PÔRTO-ALEGRE, Manoel de Araújo, Barão de Saut Angelo, 1806-1879. Angelica e Firmino; drama em quatro atos. Rio de Janeiro (1848).

————. O prestidio da lei; drama lírico em três atos. Rio de Janeiro, 1859. 84 p.

————. Os voluntarios da patria; drama em três atos. Lisboa, Imprensa Nacional, 1877. 159 p.

RODRIGUES, Ferreira. O homem que nao soube amar; comédia em três atos. Rio de Janeiro, Sociedade Brasileira de Autores Teatrais, 1944. 80 p.

RODRIGUES, Nelson. Anjo negro. Vestido de noiva. A mulher sem pecado. Rio de Janeiro, O Cruzeiro, 1948. 324 p.
The last two plays are mere reprints. Anjo negro was banned by censorship.

————. Vestido de noiva. Rio de Janeiro, Emp. Gráf. O Cruzeiro, 1944. Three acts.
First performed in 1939.

CRITICAL REFERENCE: PIMENTEL, A. Fonseca. O teatro de Nelson Rodrigues. Rio de Janeiro, Margem, 1951. 126 p.

ROSA, Abadie Faria. Nossa terra. Rio de Janeiro, Agência Brás Lauria, 1917. Three acts.
First performed in 1917.
Also: Crepúsculo, 1941.

SCHMIDT, Afonso, 1890   . Carne para canhão. São Paulo, Unitas, 1934. Three acts.
Pacifist, antifascist play.

SILVA, Antônio José (O Judeu), 1705-1739. Teatro cômico. Lisboa, Na Officina Silviana, 1744. 2 v.
Dates of first performances: Vida do Grande D. Quixote de la Mancha e do gordo Sancho Pança, Oct., 1735; Esopaida ou Vida de Esopo, April, 1734; Medeia, May, 1735; Anfitrião, Jan., 1736; Labirinto de Creta, Nov., 1736; Guerras do Alecrim e da Mangerona, 1737; As Variedades de Proteu, May, 1737; Precipício de Faetonte, after his execution by the Inquisition (1739).

————. Obras. Editadas por José Pérez. São Paulo, Ed. Cultura, 1945. 2 v.

————. Teatro de Antônio José (O Judeu). Edição popular, contendo as "Obras do Diabinho da mão furada," precedida de notícia crítica e bibliografica por João Ribeiro. Rio de Janeiro, Paris, H. Garnier, 1910-1911. 4 v. in 2.

CRITICAL REFERENCES: BRAGA, Teófilo. O mártir da Inquisição portuguêsa, Antônio José da Silva. Lisboa, 1910. 27 p. ————. História do teatro português. A bai-comédia e a ópera. Século XVIII. Pôrto, Imprensa Portuguêsa, 1871; p. 144-197. JUCÁ FILHO,

Cândido. Antônio José o Judeu. Rio de Janeiro, Civilização Brasileira, 1940. 53 p.

SILVEIRA, Helena. No fundo do poço. Colaboração de Jamil Almansur Haddad. São Paulo, Martins, 1950.

TAUNAY, Alfredo d'Escragnolle, Visconde de Taunay, 1843-1899. Amélia Smith; drama em 4 atos. Rio de Janeiro, Laemmert e Cia., 1886. 152 p. 1st ed. (2nd ed., São Paulo, Melhoramentos, 1930.)
Other plays: A conquista do filho, De mão a boca se perde a sopa, Por um triz coronel, 1880.
For studies on Taunay, see Novel section.

TÁVORA, João Franklin de Silveira, 1842-1888. Um mistério de família; drama em três atos. Recife, 1861.

———. Três lágrimas. Recife, Muhlert, 1870. Three acts.
First performed in 1868.

TOJEIRO, Gastão. Minha sogra é da polícia. Ou, A rival de Sherlock Holmes.

3 atos quase que policiais. Rio de Janeiro, Organização Simões, 1952. 122 p.

VARNHAGEN, Francisco Adolfo de, Visconde de Pôrto Seguro, 1816-1878. Amador Bueno; drama épico-histórico-americano em quatros atos, e três mutações. Edição particular. Lisboa, Imprensa Nacional, 1847.

———. Amador Bueno, ou A corôa do Brazil em 1641; drama épico-histórico americano. Madrid, Impr. del Atlas, 1858. 16 p.

VIANNA, Oduvaldo, 1892- . Manhãs de sol. Rio de Janeiro, Sociedade Brasileira de Autores Teatrais, 1939. Three acts.
First performed in 1921.
Other plays: Amor, 1934; and Teatro, 1941.

WANDERLEY, José. Uma vez na vida. Comédia em 3 atos. Rio de Janeiro, Sociedade Brasileira de Autores Teatrais, 1952. 82 p.

VI. Selected English and Spanish Translations*

A. FICTION

ALENCAR, José Martiniano de. Iracéma, the Honeylips; a Legend of Brazil. Trans. with author's permission by Isabel Burton. London, Bickers and Son, 1886.
———. Iracema (A Legend of Ceará). Trans. from the Portuguese by N. Bidell, F.R.G.S., Rio de Janeiro, s.d.

AMADO, Jorge. Cacao, novela; la vida de los trabajadores en las fazendas del Brazil. Traducción especial para Claridad por Héctor F. Miri. Buenos Aires, Ed. Claridad, 1936. 125 p. Spanish translation of Cacáu.

———. Sea of the Dead; Yemanjá, Mistress of the Seas and the Sails. (*In* Fiesta in November; trans. by Dudley Poore. Boston, Houghton Mifflin Co., 1942; p. 384-397.)

An abstract from Amado's Mar morto.

———. Tierras del sin fin. Traducción de Carmen Alfaya. Montevideo, Nueva York, Pueblos Unidos, 1944. 322 p. Spanish translation of Terras do sem fim.

———. The Violent Land. (Terras do sem fim.) Trans. by Samuel Putnam. New York, Alfred A. Knopf, 1945. 335 p. First American edition.

ANDRADE, Mário Raul Moraes de. Fräulein. (Amar, verbo intransitivo, 1927.) Trans. by Margaret Richardson Hollingsworth. New York, The Macaulay Co., 1933. 252 p.

ARANHA, José Pereira da Graça. Canaan (Chanaan, 1902.) Trans. by Mariano J. Lorente, with pref. by Guglielmo

*Some Spanish translations in text also.

Ferrera. Boston, The Four Seas Co., 1920. 321 p.

————. Canaan; novela de la colonización alemana en el Brazil. Traducción y notas de Braulio Sáez, comentario sobre el autor por Ronald Carvalho, una semblanza del notable novelista, por Rubén Darío. Santiago de Chile, Ercilla, 1935. 289 p.

ASSIS, Joaquim Maria Machado de. Dom Casmurro. (Dom Casmurro, 1899.) Trans. by Helen Caldwell with introd. by Waldo Frank. New York, The Noonday Press, Inc., 1953. 283 p.

————. Epitaph of a Small Winner (Posthumous Memoirs of Braz Cubas). (Memórias póstumas de Braz Cubas, 1880.) Trans. by Wm. L. Grossman. New York, The Noonday Press, 1952. 223 p.

See: Hispania, XXV, 4, Nov., 1952; p. 481-482.

————. Philosopher or Dog? (Quincas Borba, 1891.) Trans. from the Portuguese by C. Wilson. New York, The Noonday Press, 1954. 271 p.

AZEVEDO, Aluízio de. A Brazilian Tenement. (O cortiço, 1890.) Trans. by Harry W. Brown. New York, Robert M. McBride and Co., 1926. 310 p.

CARDOSO, Lúcio. Morro de Salgueiro, novela; traducción del portugués por Benjamín de Garay. Buenos Aires, Ed. Claridad, 1939. 231 p.

CARNEIRO, Cecílio J. The Bonfire. (A fogueira, 1941.) Trans. by Dudley Poore. New York, Toronto, Farrar and Rinehart, Inc., 1944. 344 p.

Honorable mention, First Latin American Prize Novel Competition, 1941.

CAVALCANTI, José Lins do Rêgo. Piedra Bonita. Trad. del portugués por Raúl Navarro. Buenos Aires, Santiago Rueda, 1947. 299 p. Written in 1938.

————. Pureza. Trans. by Lucie Marion. London, Hutchinson International Authors, 1948. 176 p.

————. Menino de engenho. Selections by Harriet de Onís, The Golden Land, p. 384-390.

CRULS, Gastão Luís. The Mysterious Amazonia. (Amazônia Misteriosa, 1925.) Trans. by J. T. W. Sadler. Rio de Janeiro, J. Olympio, 1944.

GOLDBERG, Isaac (ed. and trans.). Brazilian Tales. Trans. with introd. by Isaac Goldberg. Boston, The Four Seas Co., 1921; London, G. Allen and Unwin, Ltd., 1942. 149 p.

LEÃO, Sylvia. White Shore of Olinda. New York, The Vanguard Press, 1943. Brazilian novel written directly in English without benefit of translator.

LOBATO, José Bento Monteiro. Brazilian Short Stories. (Stories from Urupês, 1918.) With introd. by Isaac Goldberg. Girard, Kansas, Haldeman-Julius, 1925. 64 p.

RAMOS, Graciliano. Anguish. (Angústia, 1941.) Trans. from the Portuguese by L. C. Kaplan. New York, Alfred A. Knopf, 1946. 259 p. Has glossary of Brazilian terms.

———— Angustia. Montevideo, Ed. Independencia, 1944. 248 p. Trans. by Serafín J. García.

————. Vidas secas. Buenos Aires, Ed. Futuro, 1947. 160 p. Spanish translation of Vidas sêcas, 1938, with foreword by Bernardo Kordon.

SETÚBAL, Paulo de Oliveira. Domitila: the Romance of an Emperor's Mistress, a Novel. (A Marqueza de Santos, 1924.) Trans. by Margaret Richardson. New York, Coward-McCann, Inc., 1930. xi, 324 p.

TAUNAY, Alfredo d'Escragnolle. Innocencia; a Story of the Prairie Regions of Brazil. (Innocência, 1872.) Trans. and illus. by James W. Wells. London, Chapman and Hall, Ltd., 1889. 312 p.

————. Inocência. Trans. by Henriqueta Chamberlain. New York, The Macmillan Co., 1945. x, 209 p.

VERÍSSIMO, Érico. Consider the Lilies of the Field. (Olhai os lírios do campo, 1938.) Trans. from the Portuguese by Jean Neel Karnoff. New York, The Macmillan Co., 1947. 371 p.

————. Cross-roads. (Caminhos cruzados, 1935.) Trans. by L. C. Kaplan. New York, The Macmillan Co., 1943. 373 p.
An excellent translation.

————. Night. Trans. by L. L. Barrett, New York, The Macmillan Co., 1956. 166 p.

————. The Rest Is Silence. (O resto é silêncio, 1943.) Trans. from the Portuguese by L. C. Kaplan. New York, The Macmillan Co., 1946. viii, 485 p.

————. Time and the Wind. (O tempo e o vento, 1949.) Trans. by L. L.

Barrett. New York, The Macmillan Co., 1951. 624 p.
An excellent translation.

————. Lo demás es silencio. Trad. directa del portugués por Matilde de Elia de Etchegoyen. Rosario, Ed. Rosario, 1945. 354 p. Spanish rendering of O resto é silêncio.

————. Mirad los lirios del campo; traducción directa, revisada y aprobada por el autor, de la 10. ed. brasileña por Luzán del Campo y Antonio Ortiz Mayans. Texto íntegro y definitivo. Buenos Aires, Ediciones Tupâ, 1944.

————. Saga. Novela. Traducción directa del portugués por Matilde de Elia de Etchegoyen. Rosario, Argentina, Ed. Rosario, 1946. 292 p.
Castilian rendering of Veríssimo's novel of the Spanish Civil War.

B. NONFICTION

AMADO, Jorge. Vida de Luiz Carlos Prestes, el Caballero de la esperanza; prefacio del mayor Carlos de la Costa Leite. Traducción del portugués, por Pompeu de Accioly Borges. Buenos Aires, Ed. Claridad, 1942. 395 p.

CUNHA, Euclides Rodrigues Pimenta da. Rebellion in the Backlands. Trans. from Os sertôes, 1902. With intro. and notes by Samuel Putnam. Chicago, Univ. of Chicago Press, 1944. 526 p., illus., maps on lining papers. Bibliography of the works of Euclides da Cunha: p. xxi-xxii. A selected list of works, passages, and articles on Euclides da Cunha: p. xxii-xxiii.

————. Revolt in the Backlands. Trans. by Samuel Putnam. London, 1947.
Abridgment of the version listed above.

FREYRE, Gilberto de Mello. Brazil, an Interpretation. New York, Alfred A. Knopf, 1945. 169 p.

————. Casa grande y senzala; formación de la familia brasileña bajo el régimen de economía patriarcal. Buenos Aires, Emecé Editores, S.A., 1943. 2 v.

Direct translation into Spanish from the third Brazilian edition, by Benjamin de Garay.

————. Interpretación del Brasil. México, Fondo de Cultura Económica, 1945. 195 p.

————. Nordeste; aspectos de la influencia de la caña sobre la vida y el paisaje del nordeste del Brasil, traducido del portugués por Cayetano Romano. Buenos Aires, México, Espasa-Calpe Argentina, S.A., 1943, 237 p.

————. The Masters and the Slaves: A Study in the Development of Brazilian Civilization. Trans. by Samuel Putnam. New York, Alfred A. Knopf, 1946.
English version of Casa Grande e Senzala.

————. Una cultura amenazada: la luso-brasileña. Buenos Aires, Talleres Gráficos Augusta, 1943. 72 p.
Traducción revisada por X. de F.

VERÍSSIMO, Érico. Un gato prieto en la nieve. Trad. del portugués por Matilde de Elia de Etchegoyen. Buenos Aires, S. Rueda, 1947. 532 p.

C. POETRY

ANTHOLOGY OF CONTEMPORARY LATIN AMERICAN POETRY. Ed. by Dudley Fitts. Norfolk, New Directions, 1942. The Brazilian poets are: Manuel Bandeira, Ronald de Carvalho, Menotti del Picchia, Drummond de Andrade, Jorge de Lima, Murillo Mendes, and Ismael Nery. Renderings by Donald Poore.

LIMA, Jorge de. Esa negra Fuló y otros poemas. Traducción de Gastón Figue-

iras [*sic*]. San Rafael, Argentina, Brigadas Líricas, 1949.

————. Poems. Trans. by Melissa S. Hull. Rio de Janeiro, R. Monteiro, 1952. 56 p.

English versions of 23 short poems.

NOTE: For a complete statement of English translations of Brazilian poetry, see: GRIFFIN, William J. Brazilian Literature in English Translation. (*In* Revista Interamericana de Bibliografía, V, 1-2, 1955; p. 27-34.)

D. THEATER

ALENCAR, José Martiniano de. The Jesuit. (O Jesuita, 4 acts, 1875.) Trans. by E. R. de Britto. (*In* Poet Lore. Boston, XXX, 4, 1919, p. 475-547.)

————. El guaraüy, Grand Opera in Four Acts. By Antonio Carlos Gomez.

San Francisco, 1884. Libretto. Text in Spanish and English.

PENA, Luís Carlos Martins. The Rural Justice of the Peace. (O juiz de paz da roça; comédia em um ato.) Trans. by Willis Knapp Jones. (*In* Poet Lore, LIV, 2, Summer, 1948; p. 99-119.)

Name Index

105